アメリカの大学生が学んでいる
本物の教養

斉藤 淳

SB新書
605

プロローグ――「教養」とは何か？

●教養は「エリートのもの」ではない

「大人になってから教養の重要性に気づいた」

「教養を身につけたほうが、成功しやすいんじゃないか」

「『教養のある人』になりたい」

みなさんは、おそらくこうした考えから、本書を手に取られたのではないかと思います。

しかし、そもそも「教養」とは何でしょう。

どんなことを「知りたい」、あるいは「できるようになりたい」と願って、みなさんは「教養を身につけよう」と思ったのですか？

求める対象を具体的に思い描くことなくして、それを得ることはできません。ということで、「教養とは何か」――まず、この点から紐解いていくことにしましょう。

教養というとなんとなく「エリートの素養」というイメージがあるかもしれません。たしかに組織（企業や国家）を率いて成果を挙げるには、深い教養に裏付けられた見識、思考、行動力が必要です。

では世界のエリートは、「エリートになるために教養を身につけた」のでしょうか？違います。世界のエリートは、「エリートになる」という目的のために教養を身につけたのではなく「深い教養を身につけた1つの結果としてエリートになった」というケースが大半でしょう。深い教養を身につける道程で、組織を率いるのにふさわしい人物が出来上がったということです。

ここでいえるのは、教養とは、結果として人生のいろんな局面で役立つことはあるけれども、特定の目的のためだけに身につけるものではないということです。教養とは、目的を定めずに積み重ねられるもの。教養を身につける目的は、教養を身につける道程そのものである、といってもいいかもしれません。

そもそも、いわゆる「教養」の元ネタは、古代ローマ・ギリシャ時代に、アテネの直接民主主義を支えていた「リベラル・アーツ」です。

ギリシャ時代にも奴隷制はありましたが、後期には、かつて一部の特権階級のものであった政治に、市民も参加するようになりました。

政治に参加するには、それ相応に幅広い知識が必要です。そこで「人が身につけるべき基本の学問」とされたのが、文法学、論理学、修辞学、算術、幾何学、音楽、天文学の7科目でした。

これらの学問を身につけることで、市民は一部の特権階級の決定に従う隷属的な存在から、みずから考え、みずからの自由意志で参政する「自由な市民」になることができる。そんな意味合いから「自由七科」と呼ばれていた、先ほどの7分野の学問、その源流が「リベラル・アーツ」の始まりです。

つまり教養とは、もともとごく少数のエリート、選良のものではなく、より幅広く市民に開かれたものだったのです。

この点からも「教養=エリートの素養として身につけるもの」というイメージは打ち砕かれるでしょう。庶民が社会の一員として、自分たちが生きる社会の構築に能動的・主体的に関わるために身につけるもの、それが教養の本来的な意味だと考えられます。

●「一般教養」は教養ではない

もう1つ、教養というと、就職活動でよく聞く「一般教養」、あるいはその省略形である「般教」、つまり大学で専門教育を受ける前提として履修を義務づけられた、どちらかというと退屈な教科群を思い浮かべる人も多いかもしれません。

しかし同じ「教養」という言葉が使われていても、「一般教養」は、本書でいう「教養」とはまったく異なるものです。

一般教養とは、「この社会——政治、経済、文化について知っておくべき最低限のこと」を意味することが多いようですが、「1990年に知っておくべきだったこと」と、「2023年に知っておくべきこと」はかなり異なるでしょう。つまり「一般教養」は、就活対策なら賞味期限がある時事性の強い知識であり、大学の般教なら専門科目の基礎として、広く浅く知識のつまみ食いを強いられるような、否定的なイメージのつきまとう言葉でもあります。しかもその賞味期限が1年程度と、きわめて短い。

他方で、本書で紹介する「教養」とは、もっと普遍的で、時間と空間を超越して意味をもつものだと思っています。

事物に対する理解力や鋭い洞察力、思考力などのみならず、自分の人生哲学や守りたい価値観を明確にもち、何かについて考えるたびに、そこに立ち返る。考える。行動する。また考える。行動する。その原理の源にあるものを「教養」と呼ぶのだと私は思います。

もちろん時事性の高い事柄を知っておくことも重要ですが、「現代社会の基礎知識」的なことを毎年更新しているだけの人が「教養人」といえるかというと、そうではないでしょう。

加えて、「これだけは最低限、知っておこう」というものには、なんだか上から目線で権威的な威圧感を感じます。それを鵜呑みにして勉強に励むのは、いってしまえば、権威におもねるだけということでしょう。

そして権威におもねるだけなのは、とうてい教養ある態度とはいえません。

なぜなら、教養人の態度は、学び得た知識や情報をもとに推論し、他者と議論し、批判的に検討し、「何が相対的に正しい可能性が高いのか」判断しながら学ぶというのが、教養人の態度だからです。

つまり教養とは、上から「これを学びなさい」「これについては知っておきなさい」と押し付けられて勉強するスタイルとは、そもそも相容れないのです。

●改めて、「教養」とは何か

以上の2点を押さえたうえで、改めて考えてみましょう。

「教養」とは何か？　それは、自分の外側にある膨大な知識体系のことでしょうか。本をたくさん読むなどして、その膨大な知識体系を人より多く身につけている人を、「教養人」と呼ぶのでしょうか。

「教養」とは何か？　それは、「学歴」とイコールなのでしょうか。

中学・高校で学業を終えた人よりも大学で学位号をとった人、大学で学位号をとった人よりも大学院で修士号をとった人、修士号をとった人よりも博士号をとった人のほうが、「教養のある人」ということなのでしょうか。

「教養」とは何か？　それは「触れるとおもしろい」ものでしょうか。おもしろくはないけれど「参考になるもの」「学ぶ点があること」は、「教養」とは呼ばないのでしょうか。音楽なら音楽、美術なら美術と、自分が「おもしろい」と思ったことをずっと追究している人を「教養のある人」と呼ぶのでしょうか。

私が考える教養とは、これらのいずれでもありません。

教養とは、本質的には「自分の中心」を構成する何か——人生哲学や守りたい価値観を形成する栄養となるものです。教養を身につける過程で、そういう「自分の中心」が構成された人は、思慮深く、尊厳があり、また他者に対する敬意と想像力を兼ね備えるでしょう。

教養とはまた、そんな「自分の中心」を構成する何か——人生哲学や守りたい価値観を守るための知的バックボーンとなるものです。

学べば学ぶほど、知れば知るほど、この世界は複雑かつ多様で、唯一無二の正解など存在しない事柄がほとんどであり、深く考えれば考えるほど新たな矛盾を発見してしまったりすることも多いのです。

そのなかで「自分の中心」に常に立ち返り、「自分にとっての正解」を導き出すようになります。それはあくまでも「現時点での正解」ですから、学ぶことには終わりがありません。

また、この世界の複雑性・多様性を認識するにつれて、どの角度から見るかによって「正解」が変わることを痛いほど思い知るため、「自分にとっての正解」は「誰かにとっての不正解」である可能性がある、という前提意識が芽生えます。

したがって「自分にとっての正解」を押し付けることは決してせず、「誰かにとっての正解」を押し付けられることにも、強い反発を感じるようになるでしょう。

そして、そのなかでも社会をその一員として成り立たせていくために、議論し、批判的に検討し、「何が相対的に正しい可能性が高いのか」ということを合意形成しながら、他者と共に学んでいきます。

何が正解かわからないことが多いなかでは、こうした知的態度、もっといえば知的謙虚さをもって学びつづける人を「教養のある人」と呼ぶのです。

そして、このような知的態度を持ち合わせている人ほど、巷の言説に惑わされないものです。一方的に示される正解に懐疑的になるからです。

世の中には、まるで90％の事実に10％の虚偽を混ぜて世論を誘導するかのような恣意的な言説がはびこっています。教養を身につけることで、そういう気味の悪い情報を批判的に受け止め、どのあたりに虚偽が混ざっているか、その論理や根拠の弱点は何かを突くことができるスキルを獲得できるのです。

もう一度いいますが、学ぶことには終わりがありません。

今、述べたような「教養のある人」になり、そうありつづけるには、絶えず「自分の中心」を振り返りつつ、知識（学識のみならず、実体験によって得られる見識なども含めて）をアップデートしつづける必要があります。

そのために一生学びつづける方法論を、本書でお伝えしようというわけです。

●専門知識と教養、どちらのほうが「稼げる」？

本書は『アメリカの大学生が学んでいる本物の教養』と題していますが、この知的源流は古代ギリシャに遡ることができます。アテネ市民が学ぶことで隷属からの自由を得たように、現代に生きる私たちも、学びながら、「より自由に生きられる個人」になっていくといえるからです。

学べば学ぶほど、人生の選択肢は広がります。

視野が広がることでいろいろな選択肢が目に入るようになり、また、どの選択肢を選んでもやっていけるような知力、能力も身につくでしょう。

職業選択の自由、経済的な自由、思考の自由、行動の自由、居住の自由、ライフスタイルの自由……、こうしたさまざまな自由を、学びつづける過程で手に入れることも可能なのです。

そのことを如実に物語る研究を1つ示しておきましょう。

スタンフォード大学ハヌシェク教授らによると、早期に職業教育を受けた人と教養教育を受けた人とを比較した場合では、後者のほうが生涯賃金が高かったといいます。これは先進国の就労および賃金統計に基づいた分析によるものですが、特にドイツの国勢調査に基づくデータ分析ではこの傾向が明瞭で、様々な要因の影響を加味したうえで、教養教育を受けた者の生涯稼得賃金が、職業教育を受けたものに対して24％上回っていました。

なぜか。世の中は常に変化しており、専門教育、より正確には職業教育で学べることは、遅かれ早かれ陳腐化してしまうからです。また就職後の研修や教育を円滑に行うためにも、教養教育の土台をもつことが有利に働くことが示唆されます。

その知識や技能が最新である間は大きな武器になりますが、陳腐化したとたんに丸腰同然になってしまう。だから専門教育を受けた人は、最初のうちこそ就職が容易ではあっても、やがて教養教育を受けた競争相手に就業機会や賃金において追いつかれ、生涯稼得賃金で比べると、追い抜かれてしまう。とくに経済成長率が高い国ではこの傾向が明瞭であることが示唆されています。

仕事に必要な知識や技能を習得することなら、とっくにやっていると思っていた人もいるかもしれません。ただ、そうした専門知識や専門技能が陳腐化する日が来る可能性があると知ったら、かなり考え方が変わるのではないでしょうか。

一方、教養は時間が経っても陳腐化しづらい、いや時代の要請に合わせて柔軟に学びつづける態度や基礎を身につけることだといえます。

特定の時代、特定の分野でしか使えない知識ではなく、何にでも応用できる知識を身につけ、学びつづける。もっといえば、陳腐化しない知識を使いながら、なおかつ、そのつど必要な知識をインプットし、批判的に思考し、判断する。この「思考の文法」そのものを習得することが、教養の本質だといえます。教養教育を受けた人のほうが圧倒的に高い生涯賃金を得るのは、教養が、いくら時代が移り変わっても、有意義に「学びつづけること」「考えること」「判断すること」「行動すること」に役立つからにほかなりません。

●教養を身につけると幸せになれる、わけではない

専門教育を受けた人と教養教育を受けた人とでは、教養教育を受けた人のほうが、圧倒的に生涯賃金が高くなる、という話をしました。

「なるほど、教養を身につけると豊かになれるんだな」とモチベーションが上がったかもしれませんが、これは「幸せになれる」とイコールとは限らないという点も、ぜ

ひ最初のうちにお伝えしておきたいことです。

なぜなら、教養を身につけるほど「孤独」「苦しみ」を抱えることになるかもしれない、そうした一面があることも事実だからです。

学べば学ぶほど世界に対して目が開かれ、人生の選択肢が増えます。広大な世界に手を伸ばし、大きな成功を獲得していくだけの知力や能力も身につきます。

しかし、これは同時に、自分が生まれ育った共同体から、慣れ親しんだ価値観から、どんどん切り離されて孤独になる可能性をも意味するのです。また、「知らなければ考えずに済んだこと」を考えずにはいられなくなるという、一種の苦しみを伴うことですらあります。

そもそも、もし教養を身につけることで、より豊かに、なおかつ、より幸せになれるのだとしたら、誰もがこぞって教養を身につけるはずではないでしょうか。

でも現実にはそうなっていません。誰もが、深い教養に裏打ちされた生活を送っているなどということは、世界中どの国を見てもないと思われます。教養など身につけず、生まれ育った共同体で生涯を過ごすことに一番の幸せを見出している人が、一定数いるからではないかと思うのです。

ここで強調したいのは、自分の定義する「教養に裏打ちされた態度」に欠けるかもしれないからといって、上下関係や幸不幸の尺度で並べて眺めたりするようなことはしたくないということです。

タラ・ウェストーバーによる自伝的著作『エデュケーション：大学は私の人生を変えた』は、ビル・ゲイツが絶賛した名著で、教育を受けることで切り開いた人生の新しい可能性を称えています。教育を含む政府の支援を一切合切否定するサバイバリスト家庭に育ったウェストーバー氏は、教育を受けることで、最終的にはハーバード大学で研究する機会を手にするなど、素晴らしい機会を手にしました。そうした著者でも、教育とは無縁だった家族や共同体との決別という、悲しい経験をたどったことがわかります。

サバイバリストの共同体から脱出したウェストーバー氏ほど極端ではありませんが、私自身も、農家の長男として生まれ育ち、田んぼを耕すことを期待されて育ったにもかかわらず、さまざまなことに挑戦し、広く学ぶ機会を得ました。さまざまな成果を手にしたうえで、やはり地元に根付き、地域社会の経済を支え、子ども、孫に囲まれている同級生をとても羨ましく思えてしまう、また心から尊敬していることも事実です。

生まれ育った共同体にとどまり、結果的に幅広く学ぶ挑戦をしなかった人々を評して、マイルド・ヤンキーなどと、ある意味で蔑むような主張をする教養書、もしくは大学関係者の言動を垣間見ることもあるのですが、これも、教養に欠ける態度だと思えてなりません。たとえ学際的な知識があっても、文化的素養が高くても、それは単なるインテリもどきです。真の教養人には、他者への敬意、地域共同体への愛着が必要であり、また孤独を受け入れることも厭わない、孤高の態度を保つ覚悟も、ときとして必要なのではないかと思います。価値観の多様性を受け容れるということは、自分の生き方が全てではないと認めることでもあるのです。

話を戻しましょう。

世の中には、「知らなければ考えなくて済むこと」がたくさんあります。

たとえば、外国で戦争が起こっていることを知らなければ、それについて胸を痛めたり、「どうしたら世界は平和になるのだろうか」と考えたりすることはありません。

あるいは、さまざまな少数派が、不当に排除されていることを知らなければ、多数派の安全地帯で暮らす人々にとっては、その事実について腹立たしく思ったり、「どうしたら、すべての人を受容できる社会になるのだろうか」と考えたりすることはないかもしれません。

こうした「自分の目の前では起こっていないこと」を知らなければ、それについて考える代わりに、自分が、自分の家族が、自分が属するコミュニティが、いかに繁栄し、幸せでいられるかのみに集中することができるかもしれません。

しかし知ってしまったら最後、もう無視できなくなる。何かを知る、学ぶというのは、こういうことです。どうしても感情を揺り動かされ、「どうしたものか」という問題意識が生まれ、「考える」という労力を費やさなくてはいけなくなる。あるいは、良心の呵責を感じながらも、意図的に距離をとり、無視する選択をすることを迫られるかもしれません。

このように、ある意味では苦しい道のりだからこそ、誰もが学びつづけるわけではないのでしょう。つらさを背負うことをわざわざ選ばずに、幸せに生きていく道もあるのです。

さて、ここで、私からみなさんにお聞きしたいことがあります。

それでも、学びたいと思うでしょうか。

生まれ育った共同体から切り離されることになろうとも、教養を身につけて人生の選択肢を広げたいと思うでしょうか。

ときにつらく苦しい思いをしようとも、幅広い知識を得て、「知らなければ考えずに済んだこと」を、自分なりに考えていきたいと思うでしょうか。

幅広い知見を得るほどにすべてが相対化され、自分のアイデンティティや価値観が揺らぐこともあるでしょう。つまり何が正解なのかわからず、知識と情報の森に迷い込んでしまうかもしれない。

それをも乗り越えていく気構えをもって、教養を身につけていきたいと思えるでしょうか。

もちろん、今まで知らなかったことを知るほどに、目に映る世界の輪郭がより鮮明化します。それは、本来、エキサイティングなことです。

そして教養を身につけると、「知識」と「自分の価値観」を掛け合わせ、物事を俯瞰的に考えることで「自分にとっての正解」を導けるようになります。いろいろな問題が降り掛かってくるなかで、自分の足で確かな人生を歩んでいけるようになります。

「ぜひ、そんな力を身につけたいものだ」という人は、このまま本書を読み進めていただければと思います。

●「よき思考者」になろう

ここまでお話ししてきたところで、いったい本書を読むことのゴールは何なのかを、そろそろ明確にしておきましょう。

ひとことでいうと、本書を通じてみなさんに目指していただきたいのは、「Good Thinker――よき思考者」です。

すでに繰り返しお伝えしてきたように、知識をもとに考え、人と議論し、合意形成を目指し、そして行動していく。これが「教養人」の態度といえますが、すべては「良質な思考技術を持つこと」が大前提です。

その意味で、まずは「よき思考者（思想家）」になろうというわけです。

改めて、教養とは何でしょうか。

「ずる賢い」とはいいますが、「ずる教養がある」とはいいません。

「小賢しい」とはいいますが、「小教養がある」とはいいません。

つまり「ずる賢い」「小賢しい」が使われるようなネガティブな文脈で、「教養」という言葉が使われることはない。そういう言い回しが存在しないのです。

ここから窺われるのは、「教養」という言葉の意味合いに、すでに、ある種の「品格」――「知性に裏付けられた思考力」や「他者に敬意を払い、尊重する姿勢」が含有されているのではないか、ということです。

「教養人」とは、知性に基づいて思考し、また他者に敬意を払い、尊重するだけの品格を持ち合わせた人といっていいでしょう。

ところで、日本語では「教養がある」「教養がない」「教養が深い」「教養が浅い」

というように、教養の程度を測る言い回しがありますが、英語の「リベラル・アーツ」は単に「人が学ぶべき学問」を指すだけで、その程度を測る言い回しはありません。

ここで参照したいのが、イェール大学の前総長リチャード・レヴィン氏の言葉です。

筆者が博士課程の大学院生であった2005年、レヴィン総長が来日した際に、通訳として同氏に同行する仕事を仰せつかりました。外国人記者クラブでの会見で、「イェール大学でどんな学生を育てたいか?」と問われたレヴィン総長は、「Good thinker(上手な思考者)である」と答えました。意訳すると、これは「みずから思索して判断できる人たれ」というメッセージです。たったひとこと、シンプルでありながら、非常に示唆に富む言葉だと思います。

私が先に挙げた「よき思考者(思想家)」は、この言葉に依拠していますし、これこそが「アメリカの大学生が学んでいる本物の教養」のエッセンスなのです。

おそらく、日本で一般的に考えられている「教養」「教養人」のイメージとは、だいぶ違うでしょう。違うというより、昨今、これだけ「教養」が流行しているにもかかわらず、日本では「教養とは何か」「教養人とはどういう人か」が、真剣に考えられ、定義されてこなかったとすらいえるのです。

本章の最初に述べたように、求めるものがはっきりしなければ、それを獲得することはできません。

これから本当に教養を身につけていこうと思うのなら、ただの辞書的な定義にとどまらず、より解像度高く、教養というものを捉えていく必要があります。

だから、まず本章では、本書における「教養」「教養人」の定義を共有すべく紙面を割いてきました。というわけで、ここからが本番です。

目次

2章 自分の頭で考える──正解がない世界を生きる「思考の方法」

3章 本を読む ―― 知性と仲よくなると、学びが加速する

4章 自分の意見をつくる ――「よき思考」の成果を手に入れよう

5章 人と共に学ぶ ―― 議論し、合意形成を目指すのが真の教養人

1章

深く学ぶ

――勉強とは違う
「教養人の学びの姿勢」とは

●「情報の評価」は一方通行か相互検証か

みなさんは「学ぶ」と聞いて、どんなことを思い浮かべますか？　本を読むこと、机に向かって勉強すること、そんなイメージではないでしょうか。私には日本人の社会通念や日本の教育を、ことさらに批判する意図はありません。しかし、本を読んだり、机に向かって勉強したりすることだけを「学び」と見なしがちなのは、日本人の通弊ではないかと考えています。

なぜなら本当の教養を身につけること——先ほど述べた「思考の文法」そのものを学ぶことは、一方的に知識を授かろうとする姿勢だけでは叶わないものだからです。

試しに、大学で「歴史」を学ぶことを想像してみてください。

私が大学生の頃、履修した歴史の授業では、細かく「いつ、何が、どのようにして起こったのか」を学びました。つまり「史実の確認」に非常に重きが置かれている。おそらくは、教員が淡々と講義するスタイルが一般的でしょう。一方で私が知る限り、アメリカの大学での歴史の授業は、良くも悪くも、もっと大雑把です。

たとえば「1914年に第一次世界大戦が勃発した」という点から、「なぜ起こったのか」「自分はどう考えるか」「今、それについて考えることが、自分や社会にとってどのような意義があるのか」大量の文献を読み込んだ上で、各自が考え、議論するというスタイルの授業が大半です。

ご覧のとおり、扱われる史実は「1914年、第一世界大戦勃発」という1点だけです。もっとも重きが置かれているのは、その史実ではなく、その史実を出発点として思考すること、議論することなのです。少なくとも教養教育段階では、情報を検証し、自分が判断する練習材料として歴史学が存在しているのです。

●「水の選び方」を学ぶか、「井戸の掘り方」を学ぶか

大学での授業スタイルの違いについて、よく私は「水を確保する」ということをたとえに使います。「日本の教育は『おいしいペットボトル入りミネラルウォーターの

選び方』を教え、アメリカの教育は『井戸の掘り方』を教える」といえます。国内大学の授業は、人文社会科学系、いわゆる文系の授業では学説史などをコンパクトにまとめた教科書に基づいた授業が行われます。一方で、米国大学では古典を読み、議論するスタイルの授業が、国内大学に比べて圧倒的に多いといえます。

「おいしいペットボトル入りミネラルウォーターの選び方」を知っていても、売っている店がなくなってしまったら水を確保できません。でも「井戸の掘り方」を知っていれば、自分の力で水を確保することができます。

「井戸の掘り方」を教えるのは、決して効率的ではないかもしれません。

「おいしいミネラルウォーターの選び方」と「井戸の掘り方」、どちらのほうが、より多くの水を確保できるかといったら、後者のほうが劣るかもしれない。どちらのほうが、より安価に水を確保できるかといったら、やはり井戸を掘るのは高く付くかもしれない。

しかし後者を学んだ人は、少なくとも「水源を探り、井戸を掘り、水を確保することの大変さ」を知っています。そして、水を確保することの大変さを知っている人は、今このときに、たやすく水を飲めることに感謝できます。

水を「知識」に置き換えてみましょう。

ある史実を出発点として考え、重要文献を読み解き、議論を交わすというのは、知識の生産を体験するということです。つまり井戸の掘り方です。

そして、この訓練を積んでいる人は、知識の源泉を探り、体系づけ、世のため人のため、そして自分のために役立つものへと形作っていくことがいかに大変かを知っている。知っているからこそ、感謝できるようになる。

であればこそ、どこかの誰かが流布している「安易な正解」にも惑わされずに批判的に捉え、自分なりに考えてみる知的体力が身につくというわけです。

曲がりなりにも生産者側にみずからを置いてみることで生まれる、この意識——大変さを知っていることで生まれる「感謝」と、大変さを知っていることで安易に流されない「批判精神」が、教養を身につける者のあるべき態度です。また判断材料になる情報について「ウラをとる」習慣が身につきます。教科書を一生懸命に覚えてテストに臨む、これだけでは身につかない態度や習慣があるのです。

●知識の「生産」を体験してみるということ

書かれたものを読んでおしまい。知識を頭に入れておしまい。このように知識を「消費」するだけでは、教養は身につきません。みなさんには、知識を「生産」するということに、ぜひチャレンジしていっていただきたいと思っています。

知識生産といっても、新しい学説を唱えるとか、新しい発見をするといったことではありません。

アメリカの大学生のように、何かを読んで自分なりに考えたことを人と議論する、あるいは一編の文章にまとめてみる（断片を書き散らかしてみるだけでもいい）というのも、立派な生産活動です。井戸の掘り方を学び、体験してみるということです。

あなたの考えたことが即、多くの他者に影響したり、世の中を変えたりすることは、おそらくないでしょう。しかし、そんなのは大した問題ではありません。自分で知識生産の試みをして、その大変さを知ること、それこそが重要です。

我が身をもって知識生産に多大な努力が必要であることを知ればこそ、学びに対して誠実になります。何を学ぶにせよ、その知識がどれほどの時間や労力の賜物であるかを実感しながら、真摯に謙虚に学ぶことができる、学びつづけることができるのです。

先に挙げた「学ぶ過程で得られる自由」とは、このような学びの姿勢を通じて得られるものだと考えてください。

学びつづけるには、知識に対する素直な感謝に根付く敬意や畏怖の念が不可欠です。知識に対して、つまり、それを生み出すためにかかった時間や労力をないがしろにし、傲慢になった瞬間に、自由を獲得する学びの旅は終わってしまうでしょう。

●単に「知っていること」の価格破壊

ここまでの話で、1つ、明確にいえることが浮かび上がってきました。

つまり、今や「知っていること」自体には価値がないわけです。「いやいや、教養を身につけようという本なのに、いきなり何を言い出すんだ」と思ったかもしれませんが、そういうことなのです。なぜそういえるのか、ここで解き明かしていきましょう。

まず、突然ですが、問題です。

30年ほど前、ハードディスク・ドライブの値段は、どれくらいだったでしょう？

大学生のころに私が買おうとした20ＭＢのハードドライブは、なんと20万円もしました。つまり1ＭＢあたり1万円です。

それが今ではどうでしょう。

たとえば私のiPhoneのストレージは５１２ＧＢ。５１２ＧＢは51万２０００ＭＢですから、30年前なら単純計算で51億２０００万円もしたはずのものが、今は10万円ちょっとで手に入るわけです。

はたして、これは何を示唆しているのでしょうか。

ハードドライブを「知識の貯蔵装置」と考えてみると、かつては1MBの知識が1万円だったけれども、今では5円ちょっとで手に入る。つまり、それだけ知識の値段が安くなったということです。

言い換えれば、大容量の外部記憶装置から、いつでも簡単に知識を取り出せるようになった。そのために「知識を溜めておくこと」自体の価値が下がったといえます。「知っていること、それだけでは価値がない」とは、そういう意味なのです。

この話の解像度を高めるために、もう1つ、問題です。

ネアンデルタール人とホモサピエンスとでは、どちらのほうが、脳の容量が大きいと思いますか？

答えはネアンデルタール人。

ホモサピエンスのほうが知能は高いはずなのに、脳の容量はネアンデルタール人のほうが大きかったとは、なんとも不思議な話だと思ったのではないでしょうか。

おそらくネアンデルタール人は文字言語がなかったか未発達だったため、日常のあらゆる情報をフォトグラフィックメモリーとして処理し、なんらかの伝達手段で周囲と意思疎通しなくてはいけませんでした。つまり、情報の記憶と伝達に、ものすごく脳のメモリを消費していたと考えられます。

しかし言語というツールを用いれば、情報処理、記憶や意思疎通にかかる脳のメモリは圧倒的に少なくて済みます。デジタルデバイスでも、テキストデータより画像データのほうが、はるかにメモリを使いますよね。

おそらく、これが理由でしょう。脳の容量は知能の高さではなく、どれだけメモリを消費しているかによって決まるため、言語を獲得したことで脳をより使わなくて済むようになったホモサピエンスのほうが、脳が小さくなったと考えられるのです。

おまけに現代に生きる私たちは、記憶の多くを外部デバイスに頼っています。GBどころかTB（テラバイト＝1000GB）単位の膨大な記憶をデバイスに貯蔵してもらって、必要になるつど、自在に取り出している。要は、本来は脳が担ってきた記憶を膨大に外注しているわけですから、人類はますます脳のメモリを消費しなくなり、今後ますます脳が小さくなっていくのかもしれません。

さて、ここでお話ししたかったのは、「知っているだけでは価値がない」ということでした。

この30年でハードドライブが破格に安くなっているという事実。

フォトグラフィックメモリーで情報処理していたネアンデルタール人の脳よりも、言語を獲得したホモサピエンスの脳のほうが小さいという事実。

いずれも、「知識、情報を貯蔵しておける容量」の価値低下を示しています。

これだけ記憶デバイスが発達しているなかでは、もはや「物知り」であるだけでは、ほとんど価値がないといえます。「知識があること」よりもはるかに重要なのは、「その知識を使って何を考えるか（そして他者と議論し、行動するか）」なのです。

●正解を出す難しさに立ち向かう

「本をたくさん読んで知識を身につけること」が教養なのではありません。知識量が多い人を「知識人」と呼ぶとしたら、「知識人」と「教養人」はまったく違うということです。

たとえば、かつて日本で「進歩的文化人」ともてはやされた人たちがいます。

進歩的文化人の明確な定義はないのですが、日本が「進歩」した先の未来像として、旧ソ連や中国のような社会主義国になることを見据えていた一部の反保守系の学者や文化人を総称して、そのように呼んでいました。

この人たちは、たしかにマルクス主義などの難しい本をたくさん読破して、知識は豊富にあったのでしょう。しかし、だからといって「教養人」だったかといったら、私は違うと思います。

というのも、当時の左翼運動は、基本的に暴力による社会変革を是とし、実際に多くの痛ましい事件が発生したからです。

社会のあり方が気に入らないからといって、自分たちと思想を同一にしない他者を暴力的に排除し、社会を転覆することを目論む。これこそ知識の冒瀆でしょう。とうてい「教養ある人の態度」とはいえません。教養とは、現実的な平和主義に裏打ちされたもので、自衛目的以外での暴力の行使に対して抑制的であることを前提としています。

知識は、自分の頭で考えること、他者と議論し合意形成を目指すことの源泉となるものです。そのように知識を使えない人たちは、一定量の知識があるという意味では「知識人」かもしれませんが、「教養人」とはいえないと考えます。名画にトマトジュースをかける環境テロリズムも、反教養主義的といえるでしょう。教養は、人類の知的な歩みに対して、敬意を抱きつつ、漸進的かつ現実的に合意形成をはかる忍耐強さをもたなければならないのです。

では対照的に、誰のこともいっさい排除せず、すべての人たちに寛容であろうとする態度はどうでしょうか。

知識は、他者の事情に配慮する想像力の源泉でもあります。

たとえば性的マイノリティは「病気」ではなく「性質」であるというのも知識です。この知識が、性的マイノリティの人たちを「異常者」として差別し、社会から排除しようとするのは不当であるという観点から、どうしたら社会的に受容していけるのかを考える出発点になります。

しかし厄介なのは、この多様な社会で多様性を尊重しようとしすぎると、何も決められない、さらにはマイノリティに配慮しすぎて、かえってマジョリティに不利益が生じる、といった問題が起きてしまう点です。

引き続き性的マイノリティの例で話すと、トランス女性（男として生まれたが性自認は女性という人）のことは、極力「女性」として扱うのが正当である、という考えがあったとします。他害性がない限りにおいて、誰のことも排除せず受容できる社会を目指すうえでは、これは「正しい意見」といえるでしょう。

しかし具体的な話になってくると、だんだん難しくなってきます。

たとえば「体は男性でも性自認は女性です」という人が、生まれたままの姿で公衆浴場の女湯に入ることを受容できるか？

女性からしたら、男女を分けることで担保されてきた安心感が脅かされると感じても不思議はありません。

もう1つ問うてみましょう。

身体能力は男性でありながらも、「女性」としてスポーツ大会に出場することを受容できるか？

女子種目のメダリストをトランス女性が占めることになっても、女性選手は「自分のほうが競技において劣っているからだ」と納得し、トランス女性の男性的身体能力をも超えられるように訓練を積むべきなのでしょうか。

ホルモン療法で一定の値までテストステロン（男性ホルモン）が抑えられていることを出場条件とする場合もありますが、それだけで身体能力面での公平性が保証されるのかどうかも議論を要するところでしょう。

マイノリティの当事者の切実な心情を想像すれば、トランス女性が女湯に入ることも、女性としてスポーツ大会に出場することも、受容できる社会でありたいと思うかもしれません。

けれども、それはマジョリティの間で成り立ってきた安心感や公平性を脅かしてまで受容するべきものなのか、どうか。

また、多様性の一部として、性的少数者を排斥する教義を持つ宗教に対して、社会としてどこまで寛容な態度を維持するか。基本的には種としての再生産能力をもたない性的少数者の権利と同等に、これを受容しない宗教を許容した場合、どうなるでしょう。長期的趨勢としては後者が多数派になり、社会規範が、性的少数派にはより厳しいものに塗り替えられてしまう可能性もあります。民主的な価値規範や、決定手続きにも同じことがいえます。ダグラス・マレー『西洋の自死』はこの点を明確に指摘しています（マレー2018）。

いかがでしょう。ここでの目的は答えを出すことではありません。簡単に答えを出せる問題ではないし、実は世の中、そんな問題だらけなんだということを共有するために、このような例を挙げました。

寛容性は教養の一面です。学べば学ぶほど、この社会の多様性を認識し、他者の事情を、完全に理解はできないまでも、想像することができるようになる。これを英語では「エンパシー」と呼びます。一方的な同情ではなく、想像力を駆使して理解する努力をしながら他者に共感する、ないしは距離を置くことも視野に入れるということです。

すべての多様性を受け入れようとするのは「教養ある人の態度」とはいえません。それは往々にして単なる理想論に終始し、何一つ選べない、決められない、そして結局は「美辞麗句に逃げ込み、考えることを放棄する」ことになりかねないからです。

この多様な社会を、できるだけ誰にとっても平等に、快適に成り立たせていくことが、いかに難しいか。

かつてカール・ポパーが指摘したように、開かれた社会を維持していくうえで、「反証可能性」が重要な手がかりとなります。反証可能性をもつことで、絶対的な真理を前提とするのではなく、相互検証を通じ、誤った仮説を排除していく。そうすることで、漸進的に真理に近づくのです。何が誤っていたのかを検証しながら（つまり、反証しながら）、社会を進化させていく。これが開かれた社会の基本的な考え方であり、それ以前に科学研究の基本的な価値観であり、作業手続きです（ポパー1980ab）。

考えることを放棄せず、絶えず新たな知識や情報を学び、他者と議論したりして、どの選択肢をとるべきなのかを考えつづける。1つの正解に安住せず、アップデートしていく。ポパーの言葉を借りれば「反証」しながら、社会を漸進させる一端をみずから担っていく。

このように、正解を出す難しさに立ち向かうというのが「教養ある人の態度」であり、その知的体力を養うものこそ教養教育であると私は考えているのです。

一方で、何らかの「真理」を前提に、説明する責任を放棄するのは、「閉じられた社会」の流儀であり、これは似非（えせ）科学、権威主義、独裁政治、伝統社会、カルトなどに共通する態度といえます。

●「好奇心」という櫂をもて

大人になってからの学びは、誰かに強制されるものではありません（本来、子どもの勉強も「させられるもの」ではなく「するもの」であってほしいと思いますが）。

したがって、実際に何かを学ぼうというときに一番の原動力となるのは、自分の好奇心です。

せっかく学ぶなら、「すぐにタメになる知識」「すぐに役に立つ知識」を身につけたい、と思ったでしょうか。

勉強は苦しいものであるという固定観念があると、自分の好奇心なんか優先させても、教養は身につかないように思えるかもしれません。苦しんだ末に身につくのが教養であると、頭のどこかで思っていませんか。

しかし実際には、「すぐにタメになること」「すぐに役立つこと」ではなく、「興味があること」を追究していくことで、かえって深い教養につながったりするのが、興味深い点です。教養を身につけるというのは、机にかじりついて、大して好きでもなく興味もないことを頭に叩き込むこととイコールではありません。（一方で、必要だと判断したことについては、好きではなくても学ぶようにしなければなりませんが！）

この世界には、すでに膨大な知識体系があります。

好奇心とは、いってみれば、その膨大な知識体系の海へと漕ぎ出すための櫂（オール）です。そして好奇心に従って知識の海を漕いでいると、この世に無数にある知識が好奇心のもとに掬い上げられ、互いに結びついていきます。そういう意味では、好奇心とは、知識と知識をつなぐ「糸」でもあるといえるでしょう。

これは、言い換えれば「プロジェクト型学習」(Project-Based Learning) をしようということです。

闇雲に知識を得ようとするのではなく、「○○について知りたい」という自分のプロジェクトを立ち上げ、そこで必要なさまざまな知識を得ていく。こうして自分の好奇心のもとに知識が有機的に結びついてこそ、知識は、教養という自分の血肉となり、今後、何かにつけて物事を考える際の糧になるのです。

1つの好奇心、目的のもとに集まってきたものでも、知識は普遍的なものです。

自分の好奇心を出発点とするプロジェクト型学習をすることで、断片的に得られる点と点をつなぎ、線を構成し、やがて面、そして立体的に物事を把握できるようにする。こうした練習をしておくことで、その他のテーマにも応用可能な思考のツールを手に入れるわけです。

●楽しく学ぶほどに「副産物」も大きくなる

1つ例を挙げましょう。

小学校6年生のとき、私は夏休みの自由研究で、「故郷の歴史」をリサーチしました。おそらく子どもながらに、自分のルーツやアイデンティティ、生まれ育った共同体の成り立ちに興味があったのでしょう。すでに廃れていた祭りなどの年中行事について、地域のお年寄りたちに聞き取り調査を行いました。

小学生だった当時はわかっていませんでしたが、今にして思うと、このリサーチを通じて、私はさまざまな分野の学問を体験しました。

お年寄りにヒアリングするというのは、文化人類学でいうところのフィールドワークですし、その行事が地域の人たちにとってどのような意味をもち、いかに社会的に機能していたのかと考えるのは社会学や政治学です。

さらには実際に人に会い、自分の求める情報を引き出したという体験は、間違いなく、今の私のコミュニケーション力やリーダーシップの土台となっています。

そう考えてみると、私にとっての学びとは、家や学校で机に向かって教科書を読むこともさることながら、自由研究や課外活動で自分の興味を追究することにあったといってもいいかもしれません。今、企業家の端くれとして経営計画を立てたり、財務諸表を見たりしていますが、思い起こせば生徒会でその真似事をしていたのが役に立っていると思います。こうして文章を書くことを楽しいと思うようになったのは、中学生のころに編集していた学校新聞が、全国新聞コンクールで表彰された経験が大きかったともいえます。

自分の興味関心に動かされて学ぶのは楽しいものです。

楽しいからこそ知識が身につき、楽しいからこそ、知識を得るためにとった行動が、その後も使えるスキルという副産物をもたらす場合も多いのです。こうした努力は常に成果に結びつくわけではありませんが、失敗したり、平凡な結果に終わったりしたときも、さまざまな反省材料を提供してくれます。そしてそうした気づきや学びの機会は、日常に幅広く広がっています。会社を経営する仕事自体も、プロジェクト型学習を日々続けている感覚だともいえます。まさしく、私にとって故郷の歴史のリサーチがコミュニケーション力やリーダーシップの土台となったように、興味に従った学びであるほど、副産物も大きくなると実感します。

●学ぶ機会は日常にあふれている

教養と聞くと、「たくさん難しい本を読まなくてはいけない。でも本を読むのは苦手だし……」などと思ってしまった人もいるかもしれません。

安心してください。少なくとも本書でいう教養を身につけるうえでは、そんな引け目を感じる必要はありません。本で得る知識だけが教養ではないからです。本を読むことで得られる利益が大きいことは言うまでもありませんが、一方で人に尋ねる、旅に出る、仕事で現場に立つなど、学ぶ素材はどこにでもあるものです。

前に、学ぶことは孤独や苦労を伴うものである、と述べました。

それでも学ぼうとするのは素晴らしいことです。しかし、つらくとも学ぶからこそ、学ぶことで自家中毒を起こしやすいのも事実です。「学ぶという茨の道を歩んでいる自分は偉い。他人とは違うんだ」という、ある種の選民意識が生まれるといってもいいでしょう。

これでは、やがて自分の思考の軸を失い、特定のイデオロギーや教義に傾倒しても不思議ではありません。

学ぶことに自己陶酔するうちに、何がしかに自分の価値観を丸投げすることで自己を正当化し、安心してしまう。こうして「教養人」とは程遠い「おかしな知識人」が出来上がってしまう恐れもあります。かつての進歩的文化人のように。

この落とし穴を避けるためにも、社会生活の中で自分を試すように体験や実践を繰り返しながら学んでいくのです。

知識は自分の外側に膨大にあるものですが、知識を用いて考え、己の価値観のもとで行動する主体は、あくまでも自分でしかありません。体験や実践は、こうした「知識に対する主体性」を担保するのに欠かせないというわけです。

重要なのは知識そのものではなく、知識をもとに考え、他者と議論し、そして最終的には自分で判断し、行動に結びつけていくこと。

自身の体験や実践を通じて、自分なりに世界の手触りを確かめながら、社会のあり方を考えたり、自分の生き方や社会との関わり方を確立したりしていくことが、真の教養人の態度といえるでしょう。

そう捉えてみると、何もしゃかりきに本を読まずとも、毎日の生活だって教養に結びついていることにも気づくはずです。アルバイト1つをとっても、向き合い方1つで単なる小遣い稼ぎというだけではなく、教養につながるのです。

私は、コンビニエンスストアに行くと、決まっておにぎりのパッケージの裏側を見て、どの工場から運ばれてきたかを確認します。

地元の山形県酒田市のコンビニだと宮城県仙台市の工場、首都圏のコンビニだと埼玉県朝霞市の工場から運ばれていることが多い。この情報から、地域の物流インフラストラクチャーの整備がどのように進んできたのか、経済活動の重心がどこにあるのか、といったことを窺い知ることができます。

こうした視点を獲得できたのは、大学生のころ、コンビニで夜勤のアルバイトをしていたからにほかなりません。

コンビニというのは、実におもしろい場所です。早朝も日中も深夜も営業しているため、あらゆるタイプの人たちが訪れます。大学で経済学の授業をとっていた私は、よく人々の購買行動をミクロ経済学的に眺めて、「なぜ、人はこれを買うのか」などと仮説を立てつつレジを打ったものです。

年末に年越しそばを大量に仕入れたところ、ほとんど売れなくて、店長にこっぴどく叱られたこともありました。

私が働いていたのは六本木にあるコンビニだったので、そのあたりに住むお金持ちは、コンビニの年越しそばなどではなく、高級そば店のそばを食べるのです。ここでも、都市経済の一面を垣間見ることができました。

先ほど「自身の体験や実践を通じて、自分なりに世界の手触りを確かめる」ことが教養につながるといいました。それは、たとえば今、お話ししたように、アルバイトという自身の経験を通じて仮説を立てるだけでなく、ミクロ経済学の分析フレームワークから、さまざまなヒントを得ることができたわけです。自画自賛かもしれませんが、これも立派な教養だと思うのです。

学びの機会は本のなかだけでなく、日常のなかにもあふれている。どのような経験からでも何かを学ぶことができるはず。そういう意識で日々、生きることもまた、教養に不可欠な土台です。

●「役に立つことを学ぶ」のは教養ではない

教養は、何かを目的として身につける類のものではありません。

まず、「エリートになるために教養を身につける」「お金持ちになるために教養を身につける」ということではない。教養を身につけた人が、組織を率いるにふさわしい人物になり、その過程で金銭的な豊かさを手に入れることはありえますが、あくまでも、それは結果論です。

また直接的に「仕事に役立てるために身につける」というものも、教養とは距離があります。

たとえば、プレゼンがうまくなるようにパワーポイントの資料作成のコツを身につける、営業で成果を出せるようにトークスキルを磨く、自分で会計処理ができるように簿記の実務を学ぶ——といったものは、短期目的のために身につける知識や技能に過ぎません。ただこのような場合でも、デザインや認知心理学の基礎知識は大いに役に立ちます。

教養とは、いつ役立つかはわからない、ひょっとしたら役立つ局面は訪れないかもしれないけれども、日々、着々と積み重ねるものです。目的ベースではなく蓄積された知識が、そのまま「教養人としての厚み」になるのです。

ですから、もし「明確に役立つものしか学びたくない」という考えがあるのなら、今すぐ、その考えは捨ててしまってください。それは教養人を目指す人にはあるまじき、非常に狭量で貧しい発想です。選択と集中よりも、楽しく余裕をもって長続きさせたほうが、結局はうまくいく、が私のモットーです。

ただし、もっと長い目で見た目的意識は必要です。自分は生涯を通じて、いかなる個人として、何を目指し、成し遂げていきたいか、という人生の目的です。

私は中学生のころから、毎年、初詣で訪れる亀岡文殊というお寺で、こう唱えていました。

「学ぶ機会をください。故郷のために役立てます」

故郷の山形県酒田市では、1976年10月29日に起きた火事で、市の中心部にあった商店街が焼けました。焼失面積は22・5ヘクタール。のちに「酒田大火」と名付けられる大規模火災でした。

いつも祖母に背負われて行っていた馴染みの商店街が、一晩のうちに灰と化し、昨日まで当たり前にあった風景が一変してしまった。これは、当時7歳だった私にとって、強い喪失体験となりました。

私が「故郷の役に立つために、なんとしても学ぶ機会がほしい」と願うようになったのは、それ以来のことです。いわば「故郷の喪失」を体験したことで、いっそう「酒田市民」としてのアイデンティティが強まり、幼心に、よりよい故郷づくりのために我が身を捧げたいと思うようになったのです。

「そんな大志を幼少期のうちに抱いたなんて、すごい」と言われたりもしますが、何も特別なことではありません。

人はそれぞれに、何かしらの悲しみを背負って学んだり働いたりしているものでしょう。私の場合は「故郷の喪失」が人生の目的を抱くきっかけになっただけで、生きていれば遅かれ早かれ、誰もが、そういう局面に直面してもおかしくないと思います。

それは、たとえば、隣国に理不尽にも侵略された国の惨状を見聞きしたことで「世界平和を叶えたい。そのために何ができるだろうか」と考えるようになった、といった漠然としたものでもいいのです。あるいは、純粋な知的好奇心の赴くままに、いつ役に立つかは知るよしもない基礎研究に没頭するなどということがあってもまったくかまわないのです。

●「何を学ぶか」ではなく「いかに学ぶか」

さて、そうなると気になるのは、人生の目的のために「何を学ぶか」を、どう見極めたらいいか、ではないでしょうか。

しかし、「故郷の役に立ちたい」「世界平和の一端を担いたい」、なんでもいいのですが、生涯スパンで見た大きな目的のために、教養として「何を」学んだらいいのかなんて、とうてい見当もつきません。

どの知識が、いつ、どこで、電光石火のように役立つかわからないからです。

大きな人生の目的意識を抱きながら、さまざまな知識に触れ、体験をしているうちに結果的に身についていて、ひょんな機会に役に立つ。それこそが教養というものなのです。

私自身、日本の大学に進学し、図書館に通い詰め、アメリカの大学院でも学び、アメリカの大学に就職したかと思えば、帰国して塾経営を始めたり、衆院選に出馬し、一期だけとはいえ衆議院議員を務めたり……。今は塾経営に専念していますが、酒田市で始めた小さな英語塾は、今や、東京・神奈川に6校をもつほどにまで成長しています。

はたから見れば、考えなしの行き当たりばったり人生かもしれません。

しかし、今まで学び、体験したこと、すべてが今に結実しています。塾経営を通じて、酒田から世界にはばたく子どもを育成する。幼いころに抱いた「故郷の役に立ちたい」という目的は、当時は想像もしなかった形で、徐々に果たされつつあると感じているのです。

つい最近にも、「過去に学んだことが、こんなところで役立つのか」と思ったことがあります。

新型コロナウイルスが全国に蔓延するにつれて、人が集まるさまざまな場所の運営者は、訪れる人たちの安全確保のための対応に追われました。なかには「空間除菌」などという怪しげな対応をとる場所もありましたが、当塾では、「換気のために冬でも窓を開ける」「食事を共にしない」といった感染予防策の基本を徹底しました。

私の対応は、すべて、公衆衛生学の基礎中の基礎を踏まえたものですし、当時わかっていたコロナウイルスの特性に照らして理に適ったものでした。過去に政治学を学ぶ傍ら、公衆衛生学も勉強していたおかげで、右往左往せず冷静に、適切かつもっとも効果的な策を講じることができたと思います。

公衆衛生学を勉強した当時は、もちろん、よもや自分の人生でパンデミックを経験することになるとは想像もしていません。年月を経て、思いもよらぬ局面で、過去に身につけた知識が役立ったわけです。

こうした自身の体験からもいえるのは、「何を」学ぶかは、あまり問題ではなく、必要な状況で学んだ教訓を取り出し、知識を更新し、判断することです。

後述するように、よく思考するために（「よき思考者」になるために）身につけておくといい学問はあります。しかし、なによりも本当に重要なのは、日々、「いかに」学ぶか、なのです。

「○○の役に立つから学ぶ」のではなく、「役に立たないことこそ、役に立つ」「すぐには役に立たないけれども、学ぶ」という視点で、おもしろがって知識を身につける、体験していく。

過去に学んだこと、体験したことを人生の目的に結実させることができる教養人とは、こうして出来上がっていくものです。その点で、教養人は、「机の上の勉強だけはよくできる受験勝者」とは、まったくわけが違います。

●「わかる」を使い分ける

「わかったつもり」というのは、教養の最大の敵の1つです。本当はわかっていないことを「わかったつもり」になると、それ以上、学びを深めることはできません。

しかし、そもそも「わかる」とは、いったいどういうことなのでしょうか。「わかったつもり」問題を考えるには、まずここから始めなくてはいけません。

たとえば「apple」と聞いたら、誰もが「りんご」を思い浮かべるでしょう。でも、厳密にいうと「apple」と「りんご」は違います。

アメリカのスーパーマーケットの少し暗めの照明の下、大きなバスケットにゴロゴロと乱雑に入れられている／手のひらサイズの小ぶりな果物／青かったり赤かったりする／皮を剝かずに丸ごとかじりつく――これが「apple」です。

一方、日本のスーパーマーケットの明るい照明に照らされてツヤツヤと光り輝き、きちんと陳列されている／丸々と立派な赤い果物／たまに青いのもある／クシ型切りに切って芯を取り除き、丁寧に皮を剝いて食べる──これが「りんご」です。

この文化的・社会的背景の違いも含めて理解して、初めてappleという言葉を「わかった」ことになります。「apple＝りんご」と置き換えているだけでは、しょせん「わかったつもり」に過ぎません。

アメリカにSeattleという都市がありますが、「シアトル」とカタカナにしただけでは、やはり「わかったつもり」です。

北西部の中心都市の1つ／スターバックスコーヒーの創業地／アマゾンの本社がある場所／80年代のロック・ミュージシャンの輩出地の1つ／ジミ・ヘンドリックスの銅像がある──ここまで含めて知ろうとする人と、しない人とでは、理解力にも想像力にも大きな違いがあるのです。

とはいえ、私たちの情報処理能力には限界があります。すべてのことを、その背景なども含めて100パーセント理解することはできません。

そうなると大事なのは、すべてをわかろうとすることではなく、己の理解の限界を意識すること、自覚すること。やはり「謙虚さ」がカギなのです。

そこで推奨したいのが、「わかる」という現象を、ある特定の理解レベルではなく、おおよそ次のようなスペクトラムとして捉えることです。


【「わかる」のスペクトラム①】「わかる」とは、ある特定の分野について……
・自分の右に出る者はいないというくらい網羅的かつ深い知識がある
・まだ学びはじめではあるが、ある程度は自分の言葉で説明できる
・全般的にうろ覚えだが、体系づけて学んだ経験がある
・ちょっとかじった程度の「にわか知識」がある

教養人に求められるのは、まず、この「わかる」ということの性質をわかっていることだと思います。

すべてを「わかる」ことなどできないという知的謙虚さをもって、「わかる」とは、いくつかのスペクトラムであるという点を認識している。そのうえで、知識と向き合

うつど、どの「わかる」のスペクトラムを目指すのかを定めるというのが、「わかる」ということに対する教養人の態度であると、私は考えているのです。

ちょっと禅問答のようになってきたので、整理しましょう。

まず、すべてについて深くわかる必要はありませんし、そもそも不可能です。生真面目にすべてを理解しようとして無限の知識の沼にはまったら、精神を病んでしまいかねません。

そして、新しい知識に向き合う際には、必ずといっていいほど「理解のレベル」のニーズがあるはずです。つまり先に挙げたようなスペクトラムのうち、どれを目指すか、ということです。

たとえば英語。学校の試験で及第点をとれるくらいのレベルでいいのか、英語で書かれた論文を読みこなせるくらいのレベルを目指すのかによって、取り組み方が変わってきます。

ひょっとしたら、ある分野の大家に会う直前に、数冊の本にざっと目を通した程度のにわか知識のハッタリで、うまく場を乗り切ることもあるかもしれません。そういう知識との向き合い方だって、別に敵視するべきものではなく、そのときの目的に適っているのならOKでしょう。

教養人として、「この理解のレベルを目指すのが正しい」という話ではありません。そのときどきの自分のニーズによって、「この理解のレベルを目指す」という裁量を働かせられるようになろう、という話なのです。

時間も資源も有限である以上、これらの資源を使ってどこまで深く学ぶ必要があるのか、おおよその当たりを自分でつけられるようになること。

「すべてをわかることはできない」という知的謙虚さがあるからこそ、知識に接するつど「目指すべき理解レベル」を使い分けること、何を学ぶ際にも「わかったつもり」に陥らずに、知識と向き合っていくことが教養人らしい態度です。

●他者の事情、心情には想像力を働かせる

「わかる」がスペクトラムになっているというのは、前項で述べたような知識だけで

なく、人生経験にもいえることです。

【「わかる」のスペクトラム②】「わかる」とは、ある特定の人生経験について……

・自分自身の実体験として、体に刻みつけられている
・自分自身は体験したことはないが、他者の実体験を想像してみることはできる（その意志がある）

この場合に重要になるのは「想像力」です。

究極的にいえば、他者のことを「わかる」ことなどできません。たとえ同じ「親を亡くす」という体験をしたことがある者同士でも、経験は人それぞれであり、その体験の受け止め方もまた、人それぞれであるはずなのです。

したがって、真に誠実な人付き合いをするには、「誰かのことを『わかる』ことなどできない」という前提意識が重要です。

かといって「自分以外の人のことは、わからない」では誰とも付き合えませんから、

「自分以外の人のことは、わからない。けれど想像的理解に努めることはできる」という姿勢が求められるわけです。

たとえば親を亡くして悲しんでいる知人に対して「わかるよ」なんて安易に言うのは無神経です。相手を心配するあまり、できないことまでしてあげようとするなど、自己犠牲を伴うほど過度に共感するのも、お互いにとってまったくよくありません。「あなたのつらさを本当には理解できない。でも想像してみることはできる」という姿勢で寄り添うのが、知人として誠実な態度といえるでしょう。

このように、他者の事情や心情を「わかることはできない」けれども、想像力を駆使して「わかろうとする」。そういう姿勢をもって他者と関係を築くことができるというのも、教養人のあり方の1つです。

2章

自分の頭で考える

── 正解がない世界を生きる「思考の方法」

●「事実」を正しく読み解く力とは

教養人に必要なのは、「すべてをわかることはできない」という知的謙虚さ。とはいえ日々、情報に接するなかでは「事実を正しく読み解く」ということも欠かせません。

直近の例でも、新型コロナウイルスに、ロシアによるウクライナ侵攻にと、さまざまな情報や意見が錯綜する問題が連続しています。「何が正しいのか」がわからずに混乱してしまった……という人は多いのではないでしょうか。

何が正しいのかを100パーセント見抜くことは、たとえ専門家であっても難しいものです。

それは、コロナ禍のなかで、いともたやすく「陰謀論」めいたものにハマってしまった医療従事者や研究者がいることからも明らかです。潔癖なまでに「正しさ」を追い求めた結果、奇想天外なアイデアに「これだ！」とばかりに飛びついてしまう。今まで時間と労力をかけて蓄積してきた知識や実践、己の専門性をもなげうってしまうのです。

ましてや専門家でも何でもなければ、どれほどトンチンカンな言説でも、「これこそが事実だ」と強く主張されたら「そうなんだ」と思ってしまう、そんな落とし穴に、いつハマらないとも限りません。

まず、「たいていの事柄については、事実を100パーセント見抜くことは難しい」という前提で物事を考えましょう。特にこれほど不確実性の高い世の中で、事実を100パーセント見抜けると思うなんて、ある意味、傲慢です。

「世の中は不確実なことばかりであり、事実を100パーセント見抜くのは難しい」という態度は、「すべてをわかることはできない」という態度と同じくらい大事です。これもまた、教養人として持ち合わせるべき知的謙虚さの1つといっていいでしょう。

そのうえで、「より確からしいもの」を見つけるために考えるのです。

何か例があったほうがわかりやすいでしょう。最近、もっとも社会的関心が高かったものから、新型コロナウイルスのワクチンで考えてみます。

新型コロナウイルスのワクチンでは、最新の研究成果である「mRNAワクチン」が用いられました。

ワクチンは特定のウイルスの抗体をつくるというものですが、従来のワクチンは少量の不活性化されたウイルスそのものを接種するのに対し、mRNAワクチンではウイルスの遺伝子情報を接種します。それが一部の人たちの間で「危険だ」と騒ぎになったのです。

いわゆる「反ワクチン派」はSNSなどを通じて積極的に発信し、世間でも多くの人たちが影響されました。本当に安全かどうか歴史的検証がなされていない「人類初」のものを体内に入れるのは怖い、という風潮が、あっという間に一部で広まってしまいました。

そんななか、私が経営している会社は、新型コロナウイルスワクチンの職域接種申込窓口が開設されるやいなや、一番乗りで申込手続きを済ませました。

もちろん私も、ワクチンの危険性を主張する言説はたくさん目にしました。

しかし、その多くが、国内外を問わず「素人が思いつきと妄想で書き散らかしたブログ」の域を出ず、確たるエビデンスもロジックもない、つまりはまったく信用に足らない代物だらけでした。

その後、反ワクチン派の背景には、科学リテラシーの問題だけではなく、一部は特定の過激派の政治的意図が絡んでいることもわかってきました。私が当初から、とうてい受け入れがたいという印象を反ワクチン派に抱いていたのは、政治的意図という作為を感じ取ったからだと思います。

さて一方、ワクチンを推奨する人たちはというと、まず、その道の専門家を中心に、臨床試験の結果からリスクと利益をはかりにかけ判断する議論が中心でした。どのような治験を経てｍＲＮＡワクチンが開発されたのか、効果や安全性はどのように検証されたのかなど、エビデンスをとってもロジックをとっても、一定の透明性と反証可能性も担保され、十分な説得力がありました。

科学研究の現場は、多額の予算が注ぎ込まれ、昼夜を分かたず実験が繰り返され、それを互いに競争関係にある、もしくは職業倫理かつ制度的取り決めとして研究不正に対する自浄作用が働く環境で、研究者たちが精査し……というように、ものすごい時間と労力と試行錯誤の努力を積み重ねて出来上がるのが、科学論文です。

素人が思いつきと妄想を書き散らかしたものとは、その深い専門性や、反証可能性の担保など、とにかく何もかも大きく違うのです。

研究者ではない私たちは、科学研究そのものの正しさを自分で検証することは困難です。しかし、ある知的成果がどのように生み出されるのか、膨大なチェックアンドバランス（相互検証と牽制）による淘汰をくぐり抜けてきたのかどうか、事前に情報を入手することはできます。

ただ単に権威と目される研究者が発言しているか否かではなく、検証手続きの透明性と、誤った知見に対して自浄作用が働く環境で生み出された知識を尊重する、そうした知的謙虚さが重要なのです。これが、奇想天外なアイデアに絡め取られずに、自分や自分の大切な人たちを守ることにつながるのです。

だから私は、自分自身や社員たちが新型コロナウイルスに感染、発症して重症化したり後遺症が残ったり、あるいは最悪の場合、死亡するリスクをとるよりも、ｍＲＮＡワクチンの効果と安全性に「賭けた」わけですが、相当に安全性の高い賭けだったと評価しています。

●推論のリテラシー――「確からしさ」を確かめる

ｍＲＮＡワクチンは、たしかに、安全性において長期にわたる歴史的検証を経たものではありません。最新の研究成果なのですから当然です。そもそも「絶対安全なものしか選びたくない」といったら、ｍＲＮＡワクチンはおろか、薬も飲めなければ手術を受けることもできません。

一事が万事、何にでも多かれ少なかれ不確実性があります。

そこで重要になるのが、「確からしさ」を確かめるという発想です。ある言説や情報が「どの程度、確実といえるだろうか」と考え、自分なりの判断や選択ができるという「推論のリテラシー」を身につけるということです。

そのリテラシーを身につける第一歩は、「情報の発信源」をよく見ることです。

先ほど、私は「反ワクチン派の言説は、素人が思いつきと妄想で書き散らかしたブログ程度のものだった一方、ワクチン推奨派の言説はプロフェッショナルのものであり、エビデンスもロジックもしっかりしていた」と述べました。

つまりどんな人が、その言説を流しているのか、いやより正確にはどのような作業手続きと環境で知識が生産されるかを見て、信頼に足るかどうかを見極めていたわけです。

誤解のないように言っておきますが、これは「専門家が言っていることはすべて正しい」ということではありません。専門家でさえ大きく間違えることはあります（反ワクチン派になってしまった医療従事者や研究者がいたように）。

もう少し明確にポイントをまとめておきましょう。「確からしさ」を確かめる推論のリテラシーを高めるために、まず意識したいのは次の点です。

- その情報（言説）は第三者による査読を経て出てきたものか？
- その情報（言説）を流している人は、今までにどんな実績を残してきたか？
- その情報（言説）を流している人には、どんな著作物があるか？　学会もしくは学術誌で論文を発表し、認められているか？

・その情報（言説）を流している人の過去の主張は、歴史的検証を経た今、どれくらい当たっていたか？

・海外には似たような情報（言説）があるか？　あるとしたら、どう評価されているか？（ないのなら、その時点で捨てたほうがいいでしょう）

世の中には、一見もっともらしいことを言う技に長けている人も多いので、発信内容だけを見ても判断がつきづらいものです。だからこそ、「どのような人が、それを言っているのか」に着目することが重要です。

機械の性能は、設計図や仕様書を見ればだいたいわかります。自動車ならエンジンの排気量やトルク、コンピュータならCPUの処理速度やメモリなど。ここで情報発信者を「情報を生産する装置」と考えれば、その装置の「設計図」を見ることで、そこから繰り出される情報の「確からしさ」を自分なりに推し量ることができるというわけです。

確実なものだけを追い求めていたら、結局は何も決められない、選べない人生になってしまうでしょう。私たちは神ではないのですから、何事も不確実ななかで「確からしさ」を探求し、より筋が通っていて、想定する時間軸で最善の結果をもたらすであろう判断や選択をしながら生きていくしかありません。

さまざまな言説や情報、過去に得た知識、新たに得た知識を俯瞰して考え、より筋のよい判断、選択を積み重ねていく。そこで役立つのが教養です。

教養を身につけることで、この不確かな世の中を、なるべく危険とは縁遠く、なるべく大切な人たちを守りながら、なるべく幸せに生き抜くための最大の武器を手にすることができるのです。

●自分の経験に照らして仮説を立てる

物事を確率に落とし込んで定量的に評価するというのは、統計学の世界では常に行われていることです。

ある現象を、数式で表現されるモデルに当てはめ、それを使って分析するのが統計学の基本です。非常に便利な学問であることは確かなのですが、統計学的な手続きを踏んで物事を考えるには、それなりの訓練が必要です。

本書でものちほど、知っておくと役立つ「思考のフレームワーク」の1つとして統計学を取り上げます。

しかし統計学のエキスパートを目指そうという話ではなく、「統計学的なものの見方、考え方」を身につけていただくことが目的です。少しでも統計学の何たるかがわかっていると、「統計学的な発想」をもって、世の中や身の回りで起こっていることを、より精度高く考えることに役立つのです。

私も、統計学の心得はありますが、いつも統計学的な手法を用いて考えているわけではありません。面倒だからではなく、世の中、定量的にスッキリと捉えられないことのほうが多いからです。

統計学の手続きは、数式に当てはめて分析できる適切なデータセットがなくては成り立たない。統計学は、材料がそろえば万能といってもいいくらいなのですが、現実世界では、その肝心の材料をそろえることが容易ではないのです。

でも、「統計学的な発想」は常に働いています。具体的にいうと、私は、よく「この状況は、プラスに作用するか、マイナスに作用するか、それとも作用しないか」という3段階で考えます。

統計学の手法を用いれば、「プラスに作用するか、マイナスに作用するか、それともまったく作用しないか」という確率を、適切なデータセットと数式、もしくはモデルを使って定量的に評価することができます。

適切なデータセットを得ることが難しくても、統計学的な思考のフレームワークがインストールされていれば、ある現象を読み解く有効な糸口をつかめるわけです。

さて、統計学的思考の有効性は、適切なデータセットと数式ですが、これらを用いずに統計学的な思考をするには、何を根拠としたらいいでしょうか。

おそらく自分の経験に基づいて推論し、「この状況でこの変数は増加（減少）する可能性が高い（低い）」という具合です。そして自分の価値観、判断基準に基づいて対処方針を決めるわけです。

日本では「予断をもって物事に接してならない」と教え込まれることが多いように見えますが、その結果として何事においても中立的であることをよしとし、いつも「自分の意見がない」ことになってしまいます。

それは、いってしまえば「何も考えていないこと」と同じです。

そうなるよりは経験を言語化して俯瞰的に考える、つまり多分に仮説をもって物事に接し、事後的に検証することを繰り返していくわけです。

もし、その仮説が間違っていると気づいたら、その時点で判断基準やモデルをアップデートし、仮説を修正する。科学の世界で行われているようなチェックアンドバランスを、自分で行えばいいのです。これを言語化していくだけでも、大きな学びの機会を得ることができます。

自分の経験に照らして仮説を立て、事後検証を行う。つまり、ＰＤＣＡサイクルを導入するのです。

こうした思考の精度をより高めるために、ぜひ習慣づけていただきたいのが、「メモをとること」なのです。

これから、自分の価値観や経験、あるいはそれらに基づいて考えたことをマメにメモする習慣をつけていきましょう。何らかの形で、読んだこと、考えたことの痕跡を残しておくということです。

●「メモ魔」になろう

価値観も経験も自分の内側にあるものなのだから、強いて書き残さなくてもわかると思うかもしれませんが、それは違います。むしろ自分の内側にあるものだからこそ、マメに言語化し、自分でフィードバックするというプロセスがないと、思考的格闘の蓄積のない、感情の動物になってしまいます。

早い話が、言語化の習慣がないと思考力が衰えるというわけです。

いずれは自分の思考を他者に伝えるトレーニングとして、まとまった文章をブログやSNSで発表するのもいいと思います。が、さしあたっては、自分のためにとるメモでかまいません。

そして自分のためにとるメモなので、起承転結や論理性など気にせず、とにかく「そのとき考えたこと」を書き残しておくことが重要です。

その場合、メモを残すときに必要なアクションのハードルは、なるべく低いに越したことはありません。

たとえば、メモアプリを起動して、書こうとしているテーマのフォルダを開いて、新規ファイルを作成して……、といった複数の手順を踏むとなると、メモをとるという行為が大仰なものになります。

すると、おそらく多くの場合、「これは書き残すべきかどうか」という判断が加わるようになります。「この手順をすべて踏んでまで書き残すべきかどうか」と、余計な逡巡をしてしまう。こうして本当はのちのち効いてくるかもしれない、一見、些細な思考の痕跡がこぼれ落ち、忘れ去られてしまうのは避けたいのです。

使い勝手の感じ方は人それぞれですが、私としては、流行り廃りがあるツールはおすすめしません。

デジタルツールならパソコンのメモアプリ、アナログツールならメモ帳など、ごくオーソドックスなツールを使って、かつ「すぐに、なんでも書ける」という状況をつくることが最大のポイントです。

ちなみに、私はパソコンのメモアプリと紙のメモ帳の併用です。用途や目的ごとには使い分けていません。そのときに使いやすいほうを使って、どんどん書いています。ですから、私のメモアプリとメモ帳は、仕事のアイデアから、時事問題について考えたこと、はたまた買い物のメモまで、実に雑多です。

もし、この手法だとあまりにも乱雑すぎて混乱しそうだったら、「週に1度」などと決めて定期的に見返し、要・不要を分けるなど、整理することも習慣づけるといいでしょう。書きっぱなしでも、後で検索して見返したり出来れば、それで十分です。

●選択バイアスに注意

　ある言説が信頼できるかどうかを、みなさんは、何をもって判断しますか。「話の筋が通っていて、納得できるかどうか」すなわち論理に矛盾がなく、その議論が誤っているかどうか、すぐに検証できることが重要です。また、現実のデータを説明してみることが望ましいともいえます。

　ただ、実際に情報を集めて、判断していくことは決して容易ではありません。興味の赴くままに学ぶだけでは、物事の発生プロセスを正しく把握することはできません。よくある間違いとして、選択バイアスを紹介しましょう。

「隣接国家間で軍事支出が大きく異なるほど、軍事侵攻が起こりやすくなる」という仮説を立てたとします。この仮説が妥当であることを示すために、軍事侵攻が発生した事例（たとえば図1、A$_{22}$）を詳細に分析したとします。論証は完成したことになるでしょうか？

図1　隣接国家間における軍事支出と軍事侵攻の関係性

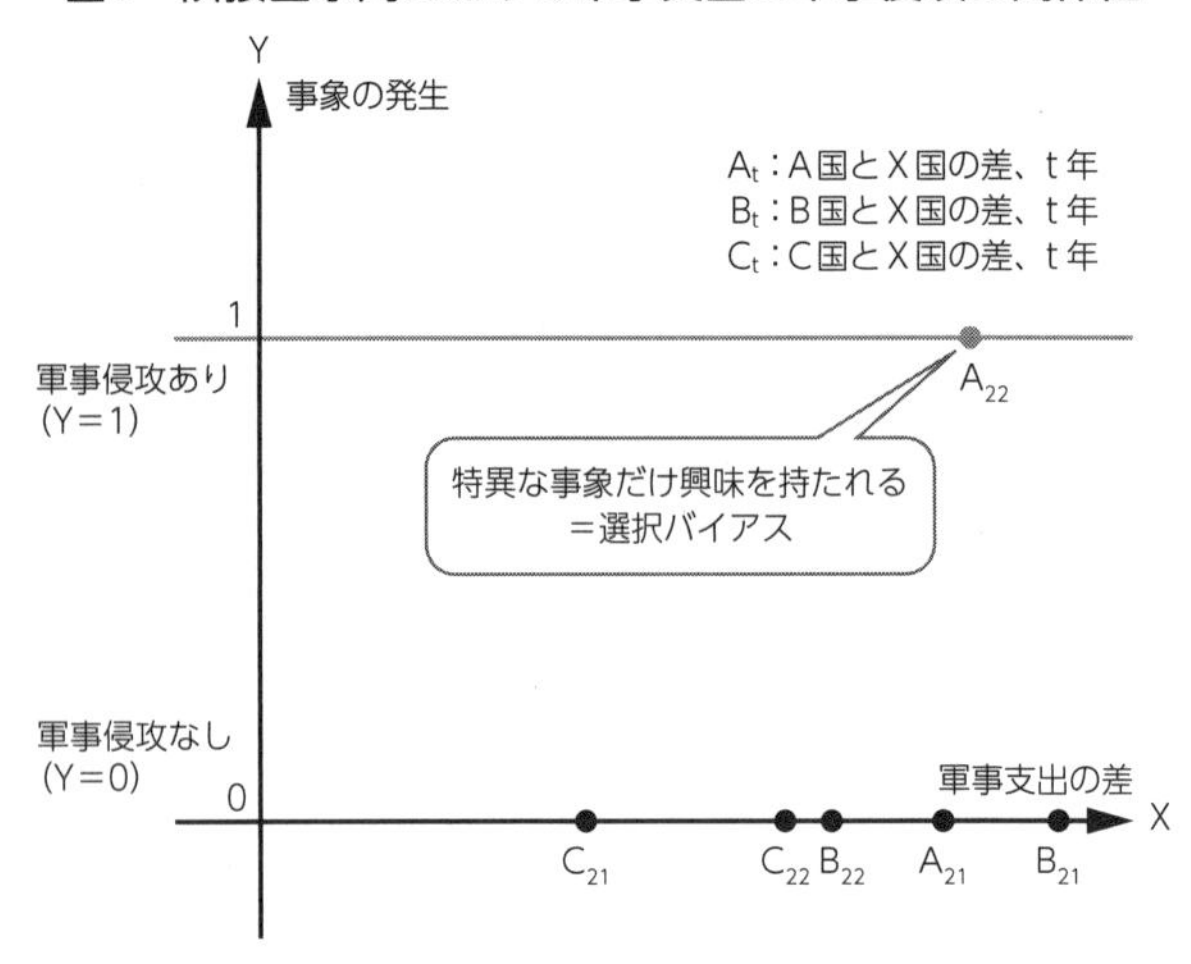

なりません。原因と結果の関係を調査するためには、ある結果が起こった事例だけ調査するのではなく、原因側に注意を払いながら、データを集めなければなりません。似ていながら軍事侵攻に至らなかった例がなかったか調査し、何が明暗を分けたのか、比較するなどしない限り、いわゆる「選択バイアス」に囚われたまま、明確な分析のできないままで終わってしまいます。たとえば時系列で検討すれば、なぜロシアによるウクライナ侵攻が2022年に起こったのか？　比較の軸を持つことが

可能です。空間的に比較するなら、2022年のエストニアではなく、なぜウクライナだったのか？　発生した事例だけ詳細に取り上げてもわからないことが、起こらなかった事例との比較で初めてわかってくることが多いのです。

ですから、ある言説に触れたときは、「その議論の外側にあるもの」に目を向けてみることも重要なのです。その言説の主が使っているレトリックを裏読みしてみる、といってもいいでしょう。これで、巷の言説に触れた際、あるいは自分で物事を考え、推論する際に陥りがちなワナを避けることができます。

このように、結果からデータを見てしまう「選択バイアス」が働いているところでは、実は何も明らかにしたことになりません。

したがって、仮に先ほどの言説に触れたとしたら、私たちは「軍事費の差が大きいなかで、他国への侵攻が起こっていないケースがあらかじめ除外されているから、この人の説は怪しい」と疑ってかかることになります。そもそも原因と結果をどう定義し、正確に計測されているかも大きな課題になりますが、事例の選択自体が、事例の発生に依存している場合は、注意する必要があります。

●「見えないもの」に目を向ける

ここでぜひ、つかんでいただきたいのは「見えないもの（示されていないもの）の存在を意識する、目を向けてみる」という感覚です。

また引き合いに出してしまいますが、新型コロナウイルスのパンデミックでは、「どんな身体的特徴のある人が重症化、死亡しやすいか」という話題が盛んに取り沙汰されました。

しかし、そこで挙げられていたのも、「感染、発症した人のうち、重症化、死亡した人の身体的特徴」のデータです。「重症化、死亡した人たちと同じ身体的特徴がありながら、感染も発症もしなかった人」のデータをとるのは難しいため、見過ごされているわけです。

もう1つ例を挙げましょう。第二次世界大戦中の、統計学者エイブラハム・ウォー

図2　生還した戦闘機の被弾箇所のデータ

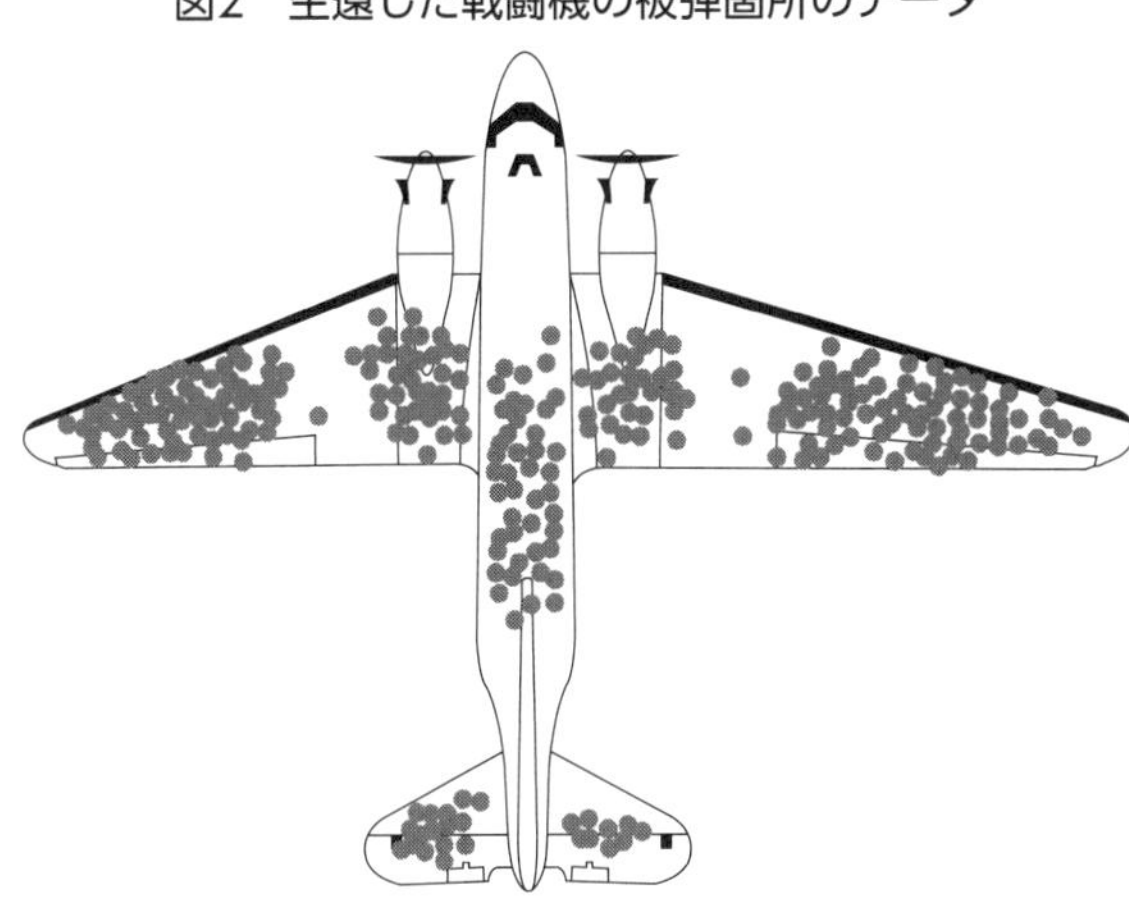

ルドにまつわる有名なエピソードです。

ある連合国軍の空軍で、生還した戦闘機の被弾箇所のデータを集めたところ、次のイラストのようになりました（図2）。

さて、このデータをもとに戦闘機を改良するとしたら、どの箇所を強化したらいいでしょうか？

被弾した箇所をすべて強化すればいい……のではありません。実は逆です。

なぜなら、これは「被弾しながらも生還した戦闘機」のデータだからです（生存バイアス）。

生還できたということは、その被弾

箇所をやられても基地まで飛ぶことができたわけだから、大して問題ではなかったということ。逆に生還できなかった戦闘機は、これらの箇所「以外」の箇所に被弾したから墜落してしまったと見るのが妥当です。実際、その空軍では、これらの箇所「以外」を強化することにしたといいます。

「生還しなかった戦闘機」の被弾箇所のデータはとることができません。でも、その存在も踏まえて考えたことで、本当に強化すべきところを判断できました。つまり、このエピソードも「見えない（示されていない）ものに目を向ける」ことの重要性を示しているといえるのです。

「見えないデータ」も含めて考えないと、物事の本質はわかりません。これも統計学の基本中の基本なのですが、統計学の手法を用いることはできなくても、その発想を思考の文法にインストールすることはできるでしょう。

目に見えているデータにばかり目が向きがちであることを自覚し、「見えないもの（示されていないもの）の存在を意識する、目を向けてみる」という発想をもって物事を見る。こういう日々の営みが、本書でいうところの教養を高めていくのです。

●「エビデンスというものの微妙さ」を知っておく

物事の正しさは常に揺らいでいます。

歴史的検証を経なくてはわからないし、歴史的検証を経てもなお、変更されることがあります。チェックアンドバランスが常に行われているのが知識というものであり、知識の正当性はこうした自浄作用が働いてこそ保たれるのです。

正しさが揺らいでいるというのは、社会科学も自然科学も同様です。

社会科学は定性的な解釈が問われる部分が多い一方、自然科学は数字や実験データという定量的なエビデンスに基づいているぶん、揺らぎづらいと思われそうですが、そんなことはありません。

したがって、科学的なエビデンスが示されているからといって「正しい」と信じ込むようでは、教養人とはいえません。

そうはいっても、科学的知見を、その道の素人が自分で検証するのは不可能に近いでしょう。

「じゃあ、どうしたらいいの？」という声が聞こえてきそうですが、少なくとも「エビデンスというものの微妙さ」を知っておく、という教養ある態度を保つことが大事だというのが、私の答えです。

どの分野においても、知識が創造され、普及しては淘汰される、ということが絶えず繰り返されています。

たとえば、ある科学的見地が『Nature』に載ったから、『Science』に載ったから「絶対に正しい」「未来永劫、正しい」とは言い切れません。それでもアマチュア科学者が独自にブログに発表している説とは段違いに蓋然性が高いことは確かです。

「何が正しいのか」を見抜くことではなく、「創造、普及、淘汰」という学問の営みを総体として理解したうえで、「確からしさ」を確かめようとする態度を保ち、評価を下せることが重要なのです。

その評価が間違っている場合もあるでしょう。それでもいいのです。

陰謀論を見聞きするたびに一蹴している私だって、つい怪しげな言説に引っかかる可能性はゼロではありません。

大事なのは間違えないことではなく、一度自分が下した評価にこだわりすぎず、「確からしさ」を常にアセスメントできること、そして間違いに気づいたときに軌道修正する勇気をもつことです。

いわゆる有識者諸氏は、実名で意見を公表するがゆえに、のちに意見を変更した際に、以前の誤りを批判されたり、首尾一貫していないことを誹られたりすることもあります。それでも、過ちては改むるに憚ること勿(なか)れ、です。

●複数の「思考のフレームワーク」をもっておく

教養は「何を学ぶか」よりも「いかに学ぶか」のほうが重要だと述べました。

ただ、先ほど少し「統計学的な発想」に触れたように、物事を考える際の「フレームワーク」として、学んでおくと便利な学問はあります。

古今東西、人類は繰り返し似たような課題に直面してきました。学問の歴史とは、すなわち、人類の課題に取り組んできた先人たちの「知的格闘の歴史」といってもいいでしょう。

つまり自分のアイデアだけで物事に向き合うよりも、先人たちの知恵も借りながら向き合ったほうが、より筋のいい思考ができるというわけです。

学問にはたくさんの分野がありますが、それぞれ考えるための方法やマナーが確立されていて、得意なことが少しずつ違います。何を分析するかによって、用いる方法やマナーが違う。複数の思考のフレームワークをもてば、それだけ複数のテーマについて入手した情報を吟味しながら、筋の良い見通し方ができるようになるのです。

ここで、ざっと思考のフレームワークとして便利な学問を挙げておきます。

いきなりすべてを学ぶのは難しいと思いますが、どの学問がどんなことを考えるのに向いているかも合わせて紹介しますので、どうぞご自身の関心度の高いものから勉強してみてください。巻末の参考文献では、各学問分野につき一冊、英語の定番教科書で邦訳があるもの、また同分野の代表的著作で、私が影響を受けたものを一冊取り上げています。

・**人類学**　人間がいかなる生き物であるかを探求する学問です。社会科学の一分野である文化人類学と、医学の隣接領域としての自然人類学に分かれます。文化人類学では、主として参与観察に伴うさまざまな課題を丁寧に学んでおくことをおすすめします。職場で日常的に触れる情報をいかに解釈するか、示唆に富むヒントが満載です。

・**経済学**　個人や企業が利己的かつ合理的に行動した場合、結果として何が起こりうるか。有限な資源を効率的に使うために、価格がどのように機能するか。ミクロ経済学を通じて「自分勝手な人間」と「自分勝手な企業」が市場を通じて相互作用することの意味を把握しておくことをおすすめします。

・**社会学**　経済学が個人や企業の最適化行動からボトムアップで立論していく（方法論的個人主義）のに対し、社会学はトップダウンで分析していく（方法論的社会主義）傾向にあります。

・心理学　人間の心の動きを、観察、分析していく学問領域です。特に、実験によって人間行動の特性を明らかにしていく手法は、経済学や政治学にも大きな影響を与え続けています。さまざまな実験とその評価を理解することが、心理学を学ぶうえでの最重要点だと思われます。また人間が生来もっている認知や思考のクセを把握することで、仕事にも私生活にも直接役に立つヒントがたくさんあるといえます。

・政治学　政治学は複数個人からなる集団の意志決定をその分析対象としています。意志決定といっても説得による世論形成や投票だけでなく、さまざまな権力闘争、政治的暴力（内戦、国際紛争）、革命なども分析対象としてきました。方法論的には経済学、心理学など隣接領域の影響を強く受けながら発展してきました。

・統計学　知りうる情報から、いかに推論するかを学ぶのが統計学だといえます。

標本（サンプル）から母集団の特性を推論したり、因果関係を推論したりするうえで知っておかなければならない事柄は、一通り通過しておくべきでしょう。

・**歴史学**　現象を観察するうえで、同時期の比較だけでなく、歴史を遡ってわかることもたくさんあります。超長期を俯瞰的に捉えることが重要なのはいうまでもありません。方法論的には、一次史料を用いて推論していくうえでの課題について把握することで、情報の「ウラ取り」の基礎が身につくことも歴史を学ぶ利益です。

・**会計学**　金額換算でなされた評価について、リテラシーをもつことは社会人としての必須スキルだといえます。世の中のお金の流れを把握することで、企業や地方公共団体、国の実像をより明確に理解できるようになります。お金の知識も立派な教養です。

・**経営学**　企業組織を中心に、官庁や学校など組織の管理を研究する学問分野です。マーケティングや先述の会計学は経営学の下部領域として捉えられることもあります。方法論的に経済学、心理学など周辺領域の影響を強く受けている点では政治学と非常によく似ています。

●守りたい価値のために学び、思考する

日本の教養教育の文脈で、特に見落とされがちなのは「価値観」だと思います。とかく「何を学ぶべきか」に重きが置かれ、学ぶ側が、いかなる価値観をもって知識と付き合うか、あるいは知識を得たうえで、いかなる価値観を構築し、社会の一員として生きていくか、という点が置き去りにされているように見えます。

しかし、価値観を重視せずして「教養人」にはなれません。

前に「知識に対する主体性」というキーワードを出しましたが、己の価値観を問わ

ずに学ぶのは「教養人」ではなく、知識に対する主体性のない（つまり何がしかに己の価値観を丸投げしている）単なる「知識人」です。

そういう意味でいうと、日本の教養教育は、熱心に学んでも、知識人にはなれても教養人にはなれないもの、といってもいいのかもしれません。

なぜ、ここまで私が価値観を重視するのか。それは、そもそも教養＝リベラル・アーツが、社会的に守りたい価値を守るために発展したものといえるからです。

先に少し触れたように、リベラル・アーツの背景には、古代ローマ・ギリシャ時代に発展した直接民主主義があります。

庶民も政治に参加できる社会を成立させるため、自由な言論秩序をつくるため、市民一人ひとりの平等を叶えるため、そしてそういう社会を存続させるために、庶民の学問として学ばれるようになったのが「自由七科」でした。

教養というと、一般的には「いろいろな学問に造詣が深い」というイメージが根強いようです。

しかし、リベラル・アーツの成立根拠は「物知りになること」ではなく、「(民主的な社会をつくり、継続させるという）理想を叶えるために学問を修めること」だったのです。アテネ市民にとって、知識は「目的」ではなく、個々が社会構築の一端を担うための「手段」だったわけです。

民主主義とて完全鉄壁なシステムではありませんし、多くの問題を抱えています。しかし人類の歴史を通じ、民主主義国同士での戦争はほとんど発生したことがなく、大規模な飢饉も、民主的な政治体制では発生したことがありません。21世紀において手詰まりを迎えているように見える民主主義の仕組みですが、実は多様な価値観をもつ集団が平和的に共存しつづけるための、歴史的な知恵を反映した均衡状態ともいえます。

そして、リベラル・アーツの系譜に鑑みれば、教養の本質的な意味とは、つまるところ「民主的で自由な社会を構築、維持していくためには、どのような判断を下すべきか」を考え、行動する力をつけるもの、といえます。

これは、教養教育が民主主義国でしか成立しえないという点からも、明確にいえることです。

たとえば、リベラル・アーツを学ぶためにロシアや中国の大学に留学するという話は、聞いたことがありません。そもそもリベラル・アーツの性質が、独裁的、権威主義的、専制的な政治体制とは相容れないわけですから当然でしょう。

日本は、非西欧で最初に、安定的な民主的政治体制を維持発展させてきた国です。私は、その日本で生まれ育ち、高等教育の途中から渡米し、日米両国で教育に携わってきました。私は、やはり民主主義を守りたいという素朴かつ強い感情をもちます。生存や言論の自由をはじめ、さまざまな権利が憲法によって保障されている社会で、できるだけ人生をエンジョイしたい、これは誰でももつであろう願望だと考えます。

対外戦争よりも多くの死者を内戦で出すような国や、隣国を侵略する国、民主化のために蜂起した国民を戦車で轢き殺す国、国民が飢えていても見て見ぬ振りで、支配者層だけが肥えている国の価値観が世界を覆うのだけは、なんとしても避けたいです し、日本の将来がそのようになるのは、絶対に阻止したいと強く感じるところです。

そして民主的な社会を守るためには、さまざまな個別の幸せを多少なりとも犠牲にし、全体最適を優先させるべき局面もあるだろう、という自覚と覚悟もあります。前に例示した「トランス女性をどこまで女性として扱うか」「聖戦を正当化する宗教の教義を是認すべきか」といった問題は、安定的な国際秩序や民主的な価値規範をどのように擁護するかという課題意識の中で取り扱われるべきだと考えます。

こういう根源的な価値観のもとで、私は今も学びつづけ、考え、行動しています。

みなさんは、いかがでしょうか。

ただ「たくさん本を読んでいて、いろんなことに造詣の深い人」として尊敬されたいだけでしょうか。

それとも、かつてアテネ市民が志したように、民主的な社会を構築し、存続させていくために、考え、行動する個人になりたいでしょうか。

ずいぶんと大風呂敷を広げたものだと思われるかもしれません。しかし「教養」とは本来、それほどの重みをもつものであるということは、ぜひ覚えておいていただきたいところなのです。

3章

本を読む

―― 知性と仲よくなると、学びが加速する

●図書館に行こう

前章で紹介した学問にせよ、その他の学問にせよ、まず興味があることを深掘りしていくのが一番です。

興味は知識吸収の最良の潤滑油です。興味がないことを無理して学ぼうとしても、理解しづらいでしょうし、がんばって理解しても記憶に残りづらい。あまり、いい時間の使い方ではありません。

純粋に興味を抱いたとき、あるいは必要に迫られて「知りたい」と思ったときが、それを学ぶベストタイミングなのです。

私がよく塾生の高校生（特に大学で何を学ぶのかで迷っている高校2年生）にアドバイスするのも、「まず、自分が何にワクワクできるのか」をもっとも重視するということです。自分のワクワクをガイドにして、1ヶ月くらいごとに分野を変えながら、いろんな学問に触れてみよう、と指導します。

その際の最初の糸口になるのは、やはり本です。といっても難しい学術書ではなく、最初は素人向けにやさしく解説した新書でもいいのです。

ただし新書にも、いわゆるトンデモ本が混じっているので、そこは注意深く選ばなくてはいけません。本の選び方については、またのちほどお話しします。

本章で最初にお伝えしたいのは、「知のインフラ」といえる図書館の効用です。

みなさんが最後に図書館を利用したのはいつでしょうか。

ひょっとして思い出せないくらい前でしょうか。社会人になってから行った覚えがない？　だとしたら、そんなにもったいないことはありません。

まず、一覧性、概観性が高いというのが図書館の特長です。いろんな分野の本を俯瞰できるということです。

「この本を読みたい」という明確な目的がなくても、ただ図書館の書棚をぼんやり眺めながらぶらついていると、ある書棚のところで「あ、なんかおもしろそう」と心に引っかかったりするものです。

学問とのワクワクする出会いとは、こうした一覧性、概観性のなかで偶然に起こることが多いのです。そこで自分の内に眠っていた興味関心が呼び覚まされると考えれば、図書館とは、自分がワクワクできる学問と出会うべくして出会う場所といってもいいかもしれません。

さらに図書館に並んでいる本の多くは、今の売れ筋ではなく過去に出版されたものです。つまり、いっときの話題性、流行で終わるかもしれない本とは違って、一定の歴史的検証を経た本と出会うことができる。これが書店と決定的に異なる点です。

住んでいる地域の公立図書館であれば利用料はかかりません。運営にはみなさんが納めている住民税などが使われているわけですから、使わないのは損といってもいいでしょう。

そんな図書館を、教養を身につける第一歩として活用しない手はありません。

私も若い時分にはずいぶん図書館に通ったものですが、なかでも大きかったのはアメリカの社会学者、バリントン・ムーアの『独裁と民主政治の社会的起源』という本との出会いです。大学受験直前に、図書館で偶然「おもしろそうだな」と手に取ったこの本が、その後、専門の1つとして政治学を志すきっかけになりました。

まず最寄りの図書館に行ってみて、物足りなければ、地域の中央図書館に行ってみるなどして、ぜひ「図書館に足繁く通う人」になってください。

●知性と仲よくなる

図書館を有効活用するコツは2つです。

1つは日本十進分類法を知っておくこと。

日本十進分類法とは、日本の図書館で採用されている本の分類法です。

図書館の本には、背表紙の下のほうに「212」といった番号の入ったラベルが貼られていますよね。これが十進分類法です。その数字の意味するところを知っておくと、興味をもった分野の読書のおおよその計画を立てやすくなるのです。

たとえば「2類」は歴史学ですから、歴史を勉強したいと思ったら「200」番台の本を探すことになります。

歴史のなかでも「日本史」を勉強するなら「210」番台、さらに「東北の歴史」

に特定するなら「212」、「西洋史」なら「230」番台、さらに「古代ギリシア」なら「231」という具合に絞り込んでいくことができるのです（図3参照）。

もう1つは、本探しを図書館所属の司書さんに助けてもらうことです。

司書さんとは、ひとことでいえば、図書館の利用者を助けるトレーニングを積んだエキスパートです。図書館の事務作業をするためだけではなく、本来は利用者の本探しをサポートするためにいるのに、その機能がほとんど利用されていない。だとしたら、それこそ宝の持ち腐れなのです。

司書さんのスキルや経験は図書館によって違うとは思いますが、まずは助けを求めてみないことには、司書さんのレベルも測りようがありません。

図書館には決まって相談コーナーがありますから、司書さんをつかまえて、「こういうことを勉強してみたいと思っているのですが、どこから始めたらいいでしょうか」と尋ねてみてください。

親身になってくれて、今の自分の知識レベルに絶妙な本を探し当ててくれる司書さんだったら儲けものです。「知の心強いパートナー」を得たと思って、その図書館に

図3　日本十進分類法

00	総記	50	技術、工学
01	図書館、図書館学	51	建設工学、土木工事
02	図書、書誌学	52	建築学
03	百科事典	53	機械工学、原子力工学
04	一般論文集、一般講演集	54	電気工学、電子工学
05	逐次刊行物	55	海洋工学、船舶工学、兵器
06	団体	56	金属工学、鉱山工学
07	ジャーナリズム、新聞	57	化学工業
08	叢書、全集、選集	58	製造工業
09	貴重書、郷土資料	59	家政学、生活科学
10	哲学	60	産業
11	哲学各論	61	農業
12	東洋思想	62	園芸
13	西洋哲学	63	蚕糸業
14	心理学	64	畜産業、獣医学
15	倫理学、道徳	65	林業
16	宗教	66	水産業
17	神道	67	商業
18	仏教	68	運輸、交通
19	キリスト教	69	通信事業
20	歴史	70	芸術、美術
21	日本史	71	彫刻
22	アジア史、東洋史	72	絵画、書道
23	ヨーロッパ史、西洋史	73	版画
24	アフリカ史	74	写真、印刷
25	北アメリカ史	75	工芸
26	南アメリカ史	76	音楽、舞踊
27	オセアニア史、両極地方史	77	演劇、映画
28	伝記	78	スポーツ、体育
29	地理、地誌、紀行	79	諸芸、娯楽
30	社会科学	80	言語
31	政治	81	日本語
32	法律	82	中国語、その他の東洋の諸言語
33	経済	83	英語
34	財政	84	ドイツ語
35	統計	85	フランス語
36	社会	86	スペイン語
37	教育	87	イタリア語
38	風俗習慣、民俗学、民族学	88	ロシア語
39	国防、軍事	89	その他の諸言語
40	自然科学	90	文学
41	数学	91	日本文学
42	物理学	92	中国文学、その他の東洋文学
43	化学	93	英米文学
44	天文学、宇宙科学	94	ドイツ文学
45	地球科学、地学	95	フランス文学
46	生物科学、一般生物学	96	スペイン文学
47	植物学	97	イタリア文学
48	動物学	98	ロシア、ソヴィエト文学
49	医学、薬学	99	その他の諸文学

は足繁く通うようにするといいでしょう。

　これほどまでに私が本を読むことをおすすめしているのは、ひとえに、みなさんに「知性」と仲よくなっていただきたいからです。

　本は、空間的および時間的隔たりを飛び越えて知性に触れることのできる、最良のツールです。そして図書館は、こうした距離を飛び越えて知性と出会える、格好の場です。

　ぜひ図書館に足繁く通い、気になった本はどんどん手に取って読んでみてください。

　人と人は、より多くの時間を一緒に過ごすほどに、仲よくなりやすいものですよね。知性も同じです。読書を通じて古今東西の知性に多く触れるほどに、知性と仲よくなれる。それが、知性的な裏付けのもとで自分なりに深く鋭く思考できる、つまりは教養のある人間になることに直結しているのです。

●学びはじめのときこそ「分厚い教科書」を読む

　自分がワクワクできる学問を探している段階で読むのは、素人向けにわかりやすく解説された新書でもかまいません。これは、それぞれの学問分野で何ができるのか、どんなことを考えることに向いている学問なのかを知るための読書です。

　そこで、もっと深く知りたいと思える学問に出会ったら、次に手に取っていただきたいのは、その学問を網羅的に解説している教科書です。いきなりハードルが高くなったと思われそうですが、実はこれが一番効率的なのです。

　網羅的ということは、その学問を学ぶことで可能になることが、だいたいすべて載っているということです。

　いきなり1ページめから読みはじめるのではなく、まずイントロダクションを読み、そして目次を眺めてみます。実は私も、新しい学問分野を勉強する際には、いまだにこのようにしています。

教科書を読むと、その学問を学ぶ土台が整います。そこから関心に従って深掘りしていく準備が整うわけです。

だいたいの地形を把握しておいて、「よし、今日はこの山を登ってみよう」というように、まず、その学問の全体像を把握しておいてから、より関心が強いところをピンポイントで学んでいけばいいのです。

このように、教科書は、あくまでも興味をもった学問の全体像を知り、深く学んでいく準備をするためのものなので、端から端まですべて読まなくてはいけないわけでも、熟読しなくてはいけないわけでもありません。

最近では、物事の全体像をつかむ際にはウィキペディアを使うという人も多いと思いますが、そこはやはり書籍をおすすめしたいところです。

ウィキペディアは、一見しっかり書かれているようでいて、執筆者は、その道の専門家でもなんでもない素人のボランティアです。編集機能があることで、万人の知識が反映されるようになっているという自負があるようですが、分野によっては「編集合戦」という不毛な事態も起こっているようです。

誰かが何かしらの意図をもって嘘を書いている可能性もあります。それを正したい人から異論が出され、それもまた間違っているという別の異論が吹き出し、まるで泥仕合のようになっているかもしれない。

「嘘が含まれている」という前提で生暖かく眺めるぶんには全否定はしません(タダですし)。しかし、特に学びはじめの段階で、こうした危ういツールに頼るのは、やはり、あまりおすすめしたくありません。

学びはじめは、そこで触れる知識が、その後の勉強を左右し、ひいては自分のものの見方、考え方にも影響していく可能性が高いという大事な段階です。

その道の学者が編纂し、出版社や校正者などのチェックを経てようやく世に出る教科書は信頼できますし、その後の学びの質も保証してくれるでしょう。私が未知の学問領域に踏み出すときは、米国大学の教養課程で用いられている代表的な教科書を一冊買ってきて、目を通すようにしています。

●基礎知識を網羅する「多読」のすすめ

学んでみたい学問が見えてきたら、集中的に本を読むことをおすすめします。

飽きっぽかったり好奇心が旺盛すぎたりすると、ほかのことに目移りしてしまう場合もあると思いますが、とにかく、1つの分野の本を多読する。めぼしい本を5～10冊ほど買い集め、1ヶ月なり3ヶ月なり計画を立てて読むことをおすすめします。

まず、わかりやすそうな入門書（一般読者向けに書かれた本）と、おもしろそうな専門書（一般向けに書かれたものよりは学術書寄りの本）の2冊を選んでください。

ここでうまく選ぶことができれば、残りの3～8冊は、最初の2冊で挙げられている参考文献のうち、より興味を引かれたものを選ぶといいでしょう。

また、議論が分かれて複数の説が展開されているテーマに出会ったら、ぜひ、それぞれの論者の本を同時並行で読んでみてください。

最初から特定の説に肩入れせずに、まずは公平に読んでみて比較検討する。それが、そのテーマに関する自分の意見をつくる土台になるなど、教養を深めることにつながります。

あまり本を読む習慣がなかった人は「多読」と聞いてひるんでいるかもしれません。

実は多読といっても、買いそろえた本をすべて通読、熟読しなくてはいけないわけではないのです。まず1冊、また1冊と読んでみてください。

学びはじめの1、2冊は、たしかにしんどいかもしれません。

でも読むほどに自分の理解度が増すため、だいたい3～5冊も読めば、あとは通読、熟読せずとも、今まで読んだ本になかったポイントを拾い読みすれば済むようになります。読めば読むほど捗るようになるのが、読書というものなのです。

●「知識の製造装置」の設計図を知る

「誰それが言っているから正しい」という思考を「属人思考」といいますが、これはもっとも非・知的、非・教養人的な態度の1つです。自分の判断や選択をまるっきり他者に委ねてしまうという、危険な思考でもあります。

ものを考える際には、こうした固有名詞を外して、「自分はどう考えるのか」を自分の頭で構築できなくてはいけません。

といっても、属人的な思考をしないというのは、その知識なり情報なりを「誰が」発信しているのかを不問とせよ、ということではありません。

まず「どういう経歴、思想的バックグラウンド、実績のある人が言っていることなのか」といったことに注目しなくては、読んでいい本、読んではいけない本を見極めることはできません。

また、媒体（新聞や雑誌）の個性を踏まえて、情報に触れることも重要です。報道は中立的なものだと思うかもしれませんが、新聞ごとに明らかに報道姿勢が異なります。

属人思考をしない。ただし誰が言っているのかは注意深く精査する。これは、つまり「知識（情報）の製造装置」の設計図を知るということです。製造装置たる著者（あるいは媒体の性質）のことを知らなくては、うまく本を選ぶことも、そこに書かれている内容とうまく向き合うこともできなくなってしまいます。

というわけで、次項では本の選び方について、ざっとお話ししておきましょう。

●読むべき本、捨て置く本の見極め方

まず、「売れているから」「話題になっているから」という理由で本を選ばないでください。

売れているから、話題になっているからといって「正しい」「価値がある」とは限らないからです。実際、何万部、何十万部も売り上げたような大ヒット本が、数年後には古本屋で叩き売りされている、という例は数多くあります。

これは、単にいっときの流行が去ったということだけを意味するのではありません。そこに書かれている情報なり知識なりに正当性がなかった、つまり歴史的検証に耐えられなかったから消え去ってしまったということなのです。

ですから、本選びに「流行」「話題性」を安易に持ち込むのは禁物と心得ておいて

ください。書店に行ったら、平積みコーナー（本の表紙が見える状態で平らに並べられているところ）はそっと通り過ぎるのが無難でしょう。

そのうえで、「これはおもしろそう」と思える本があったら、次のポイントをチェックし、知識の製造装置としての著者の設計図を把握します。なお、ここで示しているのは学問の解説書や学術書を選ぶ基準です。小説やエッセイなどの文芸作品は、その範疇ではありません。

【参考文献（引用元）が示されているかどうか】

どのような学問分野にも歴史的経緯がありますから、過去に他者によって書かれた著作からの引用が、まったくない本は信用できません。参考文献がいっさい挙げられていない本は、著者の独断と偏見だけで書かれている可能性が高いだけでなく、主張の根拠を追跡調査するのが困難です。基本的に「読む必要なし」と見なします。

【著者略歴】

学歴からは「どのような学問的トレーニングを受けてきたのか」、職歴からは「どのような職業的トレーニングを受けてきたのか」「どんな業界に関わってきたのか」、過去の著作からは「学問的実績の有無や評価」を窺い知ることができます。これらの情報から、どのようなバイアスが働きやすいかが垣間見える場合もあります。

本に掲載されている略歴だけでよくわからなければ、ネットで人名検索するのもおすすめです。こうした、ごく基本的な情報ならば、ウィキペディアを参照するのもアリでしょう（私も見ます）。

【「あとがき」などに入っている謝辞】

その本の出版に関わった編集者などのスタッフ、家族に加えて、指導教授や、影響を受けた人物に対する謝辞が入っていることがあります。そこからも、どのような学問的（あるいは職業的）トレーニングを積んできた人なのか、つまりどんなバイアスが働きやすいのかを窺い知ることができます。

【その著者の論文掲載実績】

たとえば、ものすごく売れた健康実用書の著者なのに、その人の学術論文を医学誌ではいっさい見たことがない、というケースがあります。しかも残念ながら、よくあることなのです。

これは、たまたま一般読者向けのセールスアピールがうまくいったというだけで、本業であるはずの医学研究には真剣に取り組んでいない、もしくは確たる実績がないと考えられるため、「近づいてはいけない著者」と見なします。

「信頼の置ける学術誌」という点で、つまずいてしまった人もいるかもしれません。「信頼の置ける」というのは、言い換えれば「自浄作用がある」ということです。

そして「自浄作用」とは、「掲載論文の内容が誤っていた場合、その論文は取り下げられ、その後、筆者の登場機会が削がれる」ということ。つまり、それだけ「正しさ」が担保されているといえるから、信頼に足るというわけです。

ただし厄介なことに、本来ならば信頼できる学者を選別する役割を担っているところの大学が、トンデモ学者とも呼ぶべき御仁を採用してしまう場合もゼロではありりません。つまり最高学府とてエラーを起こすことがある、学問的な廉直さよりも話題づくりや知名度を優先させることもありうる。この前提意識は常にもっておいたほうがいいでしょう。

学問の世界には、査読論文という仕組みがあります。科学的研究の手続きに則った反証可能な研究手続きで、追試による再検証を担保しながら、研究成果を論文として発表するのです。研究に不正が発覚した場合には、取り下げなどの措置がとられることにもなります。たとえば『Science』や『Nature』などの著名誌掲載論文で、研究不正が発覚し論文が取り下げられた事例は、検索で簡単に見つけ出すことができます。たとえば医学研究であれば『New England Journal of Medicine』などが世界的に知られる学術誌です。経済学であれば、『American Economic Review』など。

こうした専門的学術誌に論文を掲載する研究者は、みずからの名声を賭けて研究を発表しているぶん、自浄作用が働くといえます。一般向けの著作を公刊する場合にも、一定の品質管理がなされている安心感があります。

以上、本選びのポイントを列挙してきましたが、そうはいっても、百発百中で良書を選ぶのは難しいと思います。

そもそも、前にも述べたとおり「正しさ」とは常に揺らいでいるものなのですから、「絶対的に正しい知識を載せた本があるはず。それを見つけるんだ」という態度こそ、教養ある態度から外れているといわねばなりません。

「正しさ」は揺らいでいる。そのなかで、なるべく良書を選ぶスキルを磨き、信頼できる学者を見つけることもまた、教養を身につけるプロセスのうちなのです。

そもそも、良書と悪書の違いは、実際に、良書と悪書の両方に出会ってみないとわかりません。

悪書に触れると良書のよさが際立ち、良書に出会うと悪書の悪さが際立つというものなので、悪書をつかんでしまうことがあったとしても、その読書体験は決して無駄ではありません。

とにかく「本を読む」いや、それ以前に「本を選ぶ」場数を踏むのが一番です。先ほど挙げたような視点をもって図書館でいろんな本に触れてみる、書店で気になった本を買ってみる、ということを、まず始めましょう。そして、繰り返していきましょう。

●なるべくオリジナルの議論に触れる

知識も情報も、なるべくオリジナルのものに触れるに越したことはありません。

ところが今の日本のマスメディアは、どうも自分たちで取材して情報をとってくる気概もなければ技術もないように見えます。ロイターなど海外の主要通信会社や、あろうことかTwitterなどのSNSを情報源としているマスコミもあるようです。

そうかと思うと、完全にガラパゴス化した日本にしかない議論が、さも正論であるかのように流布されていることも少なくありません。安全保障や金融政策などの重要課題に関して「識者」が解説しているのを、たまたまテレビなどで目にすることがありますが、そのたび暗澹たる気持ちになります。

ところで、1982年、ソ連のブレジネフ書記長が死亡したときに、世界で最初に報じたマスメディアはどこだったか知っていますか？

実は日本の共同通信だったのです。共同通信北京支局員が、「北京の東側の消息筋」から得た情報として報じたものが、世界での第一報となりました。

この例からもわかるように、かつて日本のマスメディアは、独自の取材力で世界に先駆けて情報をとれるだけの予算もノウハウもありました。

冷戦下の世界で、西側諸国のマスメディアがなかなか東側諸国に接近できないなか、日本のマスコミだけは、どんどん食い込んでいた。そんな時代もあったのですが、今は見る影もありません。

ネットの勃興と相対的なマスコミ没落だけでなく、日本の経済的停滞の影響もあり、取材力も分析力も、日本のマスコミに見るべきものはないと評価せざるをえません。日本のマスコミを情報源としている限り、オリジナルの情報に触れるのは難しいのかもしれません。

そういう憂慮もあって、日本人は、まず英語を「読める」「聞ける」ようになるべきだと私は考えています。

英語を「話せる」ことも非常に重要ですが、まず、読めるようになること、聞けるようになること。

なぜなら、今、日本語で流れてくる情報の多くは周回遅れで、かつ多分に間違っている可能性もあるとなると、英語で情報収集できる能力が、今後ますます個々人の命綱になってくると考えられるからです。

私の情報源も、もっぱら海外のマスメディアです。

主にチェックしているのはCNNやBBCといった海外のニュース、あとは「60ミニッツ」などのニュース系ポッドキャストもよく聴いています。日本のニュース番組はほとんど見ませんし、とっている新聞は地元の情報が載っている山形新聞だけで、全国紙は何年も前からとっていません。

日本のマスメディアが嘘ばかり報じているとまではいいませんが、経済、安全保障（国際情勢）に関する報じ方では、信ずるに値しないと見なさざるをえないところが、あまりにも多すぎるのです。あえて歪んだ情報を流すことが、何か自社の利益につながっているのではないかと勘繰りたくなるほどです。

ともかく正常、正当な機能を停止してしまったマスメディアに、正しい事実認識など期待するべくもありません。

ですから、なるべくオリジナルの情報に接することができるよう、まずはニュースが読める、さらに大方は聞き取れるくらいの英語力は、早めに身につけておいたほうがいいでしょう。

そんなの無理、時間がかかると思ったかもしれませんが、自信をもってください。私から見ると、日本人は「英語ができない」のではなく、「英語に対する苦手意識が強い」だけです。本当は、そこそこできるのに、なぜか「できない」と思い込んでしまっているだけに見えるのです。減点方式の学校教育のせいかもしれません。

逐語訳（一語一語あまさず訳すこと）できるほどでなくても、「だいたい、こういうことを言っている」と理解できれば十分ですから、中学校レベルの英語ができれば、たいていのニュースは理解できるでしょう。

難しい専門用語が出てきても、ネット記事なら「文字列を選択→辞書検索」ですぐに意味がわかります。あとは数をこなすだけです。最初はしょっちゅう引っかかりながらでも、徐々にスラスラ読めるようになっていくはずです。

と同時に、複数の情報ソースをもつことも重要です。

いくら中立的に見えても、右巻きだの左巻きだの何かしらの思想的バックグラウンドがあり、そのバイアスのもとで報じられているというのは、海外のマスメディアも同じです。

●英語を学ぶと、アクセスできる知識が一気に広がる

英語がわかるようになると、情報収集の幅が格段に広がります。

海外のニュースサイトの記事が読めるようになるだけではなく、学問的なインプットの幅も一気に広がるのです。

出版はビジネスであり、利益を追求するのは当然といえますが、一方、「知識生産機関」としての使命感や責任感も欠かせません。

その点、アメリカやイギリスの出版業界には、商業出版社と大学の出版会の明確な

棲み分けがあります。

もちろん大学の出版会でも収益性は考慮されていますが、それ以上に重きが置かれているのは、「この著作物を出版することで、後世の社会にどのようなインパクトを与えるか」という点です。そもそもの理念が、「収益性第一で、お手軽に読める本」を刊行するようになっていないのです。

「売れる本＝良書」とは限りません。価値ある本がセールス的には成功しないというケースはザラにあります。社会的意義の高い良書を世に送り出すには、利益以上に社会的な使命感、責任感をまっとうしようとする出版社の意志が欠かせないのです。

たとえば政治学ではもっとも格式が高く、信頼が置かれているケンブリッジ大学出版会の刊行物を見ても、社会的使命感、責任感が通底しているのを感じます。

英語がわかるようになると、こうした精神に根ざした良書にもアクセスできるようになります。残念ながら、これは近年の日本の出版業界やジャーナリズムに如実に欠けている点かもしれません。

それに、英語は、単に世界共通語として使われているだけでなく、学術的知見を発表するためにもっとも広範に用いられる言語なのです。まっとうな研究者やジャーナリストはみな、世界中で自分の著作が読まれることを意識して、英語の非ネイティブであろうと英語で発信しています。

英語で発信することで世界中の人の目に触れ、影響力を最大化できる可能性があるというのに、わざわざニッチな母国語だけで発信する人はいないでしょう。現に、かつて勤めていたイェール大学では、「日本の科学ジャーナリズムは層が薄すぎる」などと、日本人の理系の先生方が嘆いているのをたびたび耳にしました。

つまり、英語がわかるようになると、英語圏のみならず世界中の研究者、ジャーナリストの「オリジナルの議論」に触れられるようになるのです。英語のほうが発信者の層が厚いので、それだけ多様な知識習得、情報収集が可能になるわけです。

もちろん日本語の翻訳版が出版されている場合もありますが、英語で書かれた良質な刊行物の総数からすると、ごくわずかです。また、できるだけ「オリジナル」に触れることが大事ですから、翻訳出版されているものでも、私は、たいていは原書で読むようにしています。

原書といえば、アメリカの大学生は、教材として原書を読みます。

たとえば「クラウゼビッツの戦争論」を勉強しようと思ったら、カール・フォン・クラウゼビッツ著『戦争論』を読む。必然的に膨大な読書量になりますが、一次資料である原書（正確には原書の英訳版）を読み、講義の一環として議論することで、かなり高度な知識と思考力が培われます。大学生が当たり前のように原書を読むことが、アメリカの読書人口の厚さにつながっているという一面もあるのかもしれません。

一方、日本の大学はどうでしょうか。

原書をわかりやすく嚙み砕いた解説書がシラバスの必読文献になっているケースがほとんどでしょう。いずれにしても二次資料、いってしまえば一次資料である原書の劣化版で学んでいるのが、日本の大学生といえます。

原書を読むのは、ものすごく大変です。解説書を読んだ方がわかりやすいといえばその通りなのですが、オリジナルの議論に触れ、それを検証しながら学ぶ体験が、日本の大学生には圧倒的に欠落しているのです。

重要なのは、誰かに嚙み砕いてもらったものを飲み込むことではなく、オリジナルの全貌を踏まえて（その噛みごたえも含め）自分なりに考えてみることですから、この知的格闘体験の欠如は憂慮すべきところです。

そういう意味でも、ずっと日本で勉強してきた人は、今からでも英語を読む習慣をつけたほうがいいと思うのです。

●単純に楽しい――これも英語を学ぶメリットの1つ

もう1つ、英語を学ぶ利点といえるのは、享受できるコンテンツの選択肢が増えることです。英語がわかるようになると、日本語字幕完備の大型エンタメコンテンツだけでなく、小規模ながらも良質なプログラムもたくさん楽しめるようになります。

たとえば、ビジネスに役立つからといって中国語を学んでいる人と接していても、中国語を学ぶワクワク感はほとんど伝わってきません。「中国語がわかるようになって、楽しみが広がった！」といった話も聞いたことがありません。

言論統制がある独裁国家には、ハリウッド制作に匹敵するエンタメ作品も、BBC

やCNN制作に匹敵する良質なドキュメンタリー作品もないからでしょう。

英語を学ぶことは、学問的な教養を深めるとともに、日々の文化的な楽しみが増えることにつながっているのです。

そして「役立つだけでなく楽しい」というのは、何を学ぶにしても意外とあなどれません。実際、日本語を勉強しているアメリカの大学生たちにとっては、日本のアニメやマンガが日本語に関心を抱くきっかけであり、かつ上達のカギになっているという話をよく耳にします。

やはり「楽しい」という要素は非常に重要。「よりたくさんの楽しみが待っているから学ぶ」――それこそ上達の一番の近道といってもいいくらいです。

前にも述べたように、日本人は英語に対する苦手意識が強すぎると思います。

数多く触れれば触れるほど上達するのが言語能力ですから、苦手意識のせいで英語を遠ざけるばかりでは、永遠に英語力は上がりません。

最初は、わからなくても当然です。正確性を誰かと競っているわけではないのですから、神経質に正しさを追求しなくていいし、ときには誤読したってていいのです。専門家だって誤読することがあるくらいですから。

どうか「わからないこと」「間違えること」を恐れず、ざっくばらんに英語に触れる利点を強調したいと思います。精読はその次の段階で構わないのです。

●「読書のモード」を使い分ける

本は、いうなれば「情報収集と思考の練習ツール」です。

本を適切に読めば読むほど、知識も含めた情報収集のセンスやスキルが磨かれ、よりよく自分なりに考えられるようになっていく、ということです。ただページを繰って「何が書かれているのか」を理解することだけが読書ではありません。

といっても、手に取った本をすべて熟読し、完全に理解するのは大変です。大変というより、ほぼ不可能でしょうし、そんな必要もないのです。

そもそも「適切に読む＝熟読」ではありません。読む本によって、あるいは、その本を読む目的によって、「いかに読むか」「どれくらいの理解度を目指すか」は違って当然です。

おそらく今後、みなさんは、今までよりもずっと大量かつ多様で骨太な本に触れていくことになります。ざっと読んでおけばいいだけの本もあれば、何度でも繰り返し読んだほうがいい本もあるでしょう。

ざっと読んでおけばいいだけの本を読む時間を節約するためにも、何度でも繰り返し読んだほうがいい本を読む時間を確保するためにも、自転車のギアを切り替えるように、「読書モード」を使い分けていきましょう。

きちんと読まなくていい本を、きちんと読むのは時間と労力の無駄です。大量かつ多様で骨太な本を読むといっても肩ひじ張らず、「きちんと読まない」という選択肢をもっておくことも、学びという営みを止めないためには大切なのです。

読書を生真面目に考えすぎると、本を開くこと自体が苦痛になり、次第に本から遠ざかってしまいかねません。それこそ、もっとも避けたい事態です。いい加減に読むことを許容する、「自分にやさしい読書」を心がけましょう。

また、無数に本があるなかで教養を深めていくには、「読まない本」を選別するこ

読書のギアシフト

どこを読むか（横軸）／どう読むか（縦軸）

	A 表紙	B 目次	C 本文(特定部分)	D 本文(全体)	E 注釈	F 奥付	G 著者略歴
7 テキストマイニング	A7	B7	C7	D7	E7	F7	G7
6 飛ばし読み	A6	B6	C6	D6	E6	F6	G6
5 通読	A5	B5	C5	D5	E5	F5	G5
4 メモを取りながら	A4	B4	C4	D4	E4	F4	G4
3 ゼミ・読書会	A3	B3	C3	D3	E3	F3	G3
2 数式も確認	A2	B2	C2	D2	E2	F2	G2
1 使用データ追試	A1	B1	C1	D1	E1	F1	G1

とも必要になってきます。

「きちんと読むべき本」や「ざっと読んでおけばいい本」の下には、当然、「読まなくていい本」があります。本ごとに「読書のギアシフト」を切り替えることを習慣づけ、「自分にとっての重要度のグレード付け」のセンスが養われれば、自然と「読まない本」の選別眼も磨かれるはずです。

では、上の表を見てください。

普段、私が直感的に行っている「読書のギアシフト」の切り替えを体系づけ、縦軸と横軸に落とし込んだ一覧表です。「丁寧に読む」「丁寧に読まない」といった二元論ではさすがに乱暴すぎるので、横軸に「どこを読むか」、縦軸に「どう読むか」という基準を設けて整理しました。イメージとしては、マニュアル・シフトのクルマを運転するときに、路面状況にあわせてギアを入れ替えるのと同じです。

たとえば、「本文全体」を「丁寧に読む」というモードで読む本もあれば（D5）、「注釈」は「飛ばし読み」（E6）で読む本もある、という具合です。電子書籍であれば、検索機能をフル活用したり、テキストマイニング手法を活用して統計的に内容を把握といったことも、読書のテクニックです（D7）。超高速ギアで、エンジンの回転を抑えながら走るのと似ています。一方で読書会で取り上げたり（D3）、数式の証明を理解するまで丁寧に読んだり（D2）、データを追試したり（D1）は低速ギアで慎重に走るのと似ています。

本の「周辺情報」も含めて「著者に事実確認する」というモードで読むのは、学者レベルの精読といえますが、だからといって、一般の方には無理というわけではありません。研究者やジャーナリストには、一般読者からの質問や問い合わせにオープンな人も少なくないからです。特にＳＮＳがこれだけ普及している今は、「オリジナルの議論」の主にアクセスするハードルが格段に下がっています。

●「一時の流行本」にも利用価値がある

過去に数え切れないほど出版されてきた本のうち、歴史的淘汰をくぐり抜けてきた本があります。いわゆる「古典」と呼ばれる類の本です。

古典というと文学というイメージが強いかもしれませんが、学問の世界にも、それぞれの分野に古典があります。たとえば国際関係学なら、国際情勢が変わっても成り立つ論を展開しているものは、やはり古典として、国際関係学を学ぶ人にとっては必読本になっています。

淘汰をくぐり抜けてきたといっても、古典は「正しい」わけではありません。

ただ長い年月を経ても色褪せない言説を提示していたり、今なお人間社会にとって重要な問いを発していたりするだけですから、古典といえども盲信せず、やはり批判的に読む姿勢が重要です。

「有名な歴史的学者が書いていることだから正しい」というのは、前にも述べた属人思考であり、そのとたんに思考停止に陥ってしまいます。

むしろ、そこに含まれているさまざまな誤り、現代の観点から検証すべき点も含めて、出版当時の最先端の議論を追体験することが、古典を読む最大の意義といっていいでしょう。

一方、淘汰をくぐり抜けることができず「古典になれなかった本」というのも、もちろん数多く存在します。それはまったく読む必要がない本かといったら、私は、そうとも言い切れないと思っているのです。

私は大学生のころ、よく古本屋さんで50円や100円で売られている「古典になれなかった本」を買っていました。

実は今もコレクションしています。経営者であると同時に物書きでもある私にとって、時代的淘汰に耐えられなかった本は「人の振り見て我が振り直せ」の教訓とすべきものなので、「反面教師本」と名付けています。

出版当時こそ売れたかもしれないけれども、今はまったく評価されていない本には、いったい何が書かれているのか。

今も高い評価を得ていて、古本でも高い値段で売られている本とは、何が違うのか。

そういう視点で読んでみると、これはこれで非常に勉強になります。

大学1、2年のころに、淘汰をくぐり抜けてきた古典だけではなく、あえて、淘汰をくぐり抜けられなかった本も読んでみることで、いい本とそうでない本を見極める目もいっそう養われたと思います。

みなさんも古本屋さんに行くことがあったら、「古典になれなかった本」を探してみてください。本の背表紙を眺めて、「あ、10年くらい前にベストセラーになった本だ」なんて思うだけでもかまいません。

「何を読むか」を自分で選別できるようになれば、この先もずっと自分の力で学んでいくことができます。それには、ちょっと変わった方法かもしれませんが、あえて歴史的に淘汰されてしまった本に触れてみることも役立つのです。

●自分の本棚を「知識体系の見取り図」にする

本章の最後に、書棚の整理術も紹介しておきましょう。

最初は図書館で学問との出会いを得るとしても、学びたいことが明確になってくると、次第に自分で本を買うようになります。1つのことを学ぶうちに、そこから派生して別のことにも関心が出てくる。そうなると、あっという間に本が積み上がり、収拾がつかなくなってしまいます。

「五十音順に並べる」「著者別に並べる」「買った順に並べる」など、書棚を整理する方法はいくつか考えられますが、私の経験上、最終的には「分野別に並べる」ことです。

前にも触れた十進分類法で書籍を整理している図書館では、書棚そのものが、いわば「知識体系の見取り図」になっています。十進分類法ほど厳密にする必要はありませんが、図書館の書棚のミニチュア版を自宅で実現すればいいのです。

そのメリットはいくつかあります。

まずいえるのは、本を探しやすいこと。読了した本に書いてあったことを、あとから確認したくなったときや、ある本を再読したいときに、すぐに探し当てることができます。

また、分野別にセクションが分かれていると、「どの分野の本が、どれだけあるか」が一目瞭然です。「読んだ本の数」を「自分の知識量」の目安（あくまでも目安です）とすれば、「まだ学び足りていない分野」が書棚から一瞬で見て取れるのです。

というわけで、書棚は分野別にセクションを分けて整理する。

そこで注意したいのは、本を必要以上に本棚に詰め込まないことです。奥のほうから本を引っ張り出さなくてはいけないのは、骨が折れます。それが「面倒だから、あとでいいや……」と、学びの障壁になってしまうこともあるでしょう。

図書館の書棚のように一覧性が高いほうがいいので、理想は、すべての本の背表紙が見えている状態です。その状態を保てないほど本が増えてきたら、本の断捨離をしましょう。生活空間を犠牲にしてまで本を積み重ねておくぐらいなら、本を処分するか、広い部屋を確保するか、どちらかを私自身は選んで実践してきました。

部屋が狭いなど、どうしても本がすぐにあふれてしまうようなら、ちょっと手間でも本をスキャンしてデータ化してしまうのも1つの方法です。他者に配布したり、販売したりするのは違法ですが、自分の保管用ならば問題ありません。

4章

自分の意見をつくる

——「よき思考」の成果を手に入れよう

●なぜ日本人は意見をもつのが苦手なのか

日本人は一般的に意見をもつことも、意見を表明することも苦手とされています。なぜかといえばシンプルな話で、個々が意見をもちはじめると、管理しづらくなるからでしょう。つまり一番は教育の問題です。日本の子どもたちは「生徒を管理しやすいように」という教師側の都合により、意見をもったり、意見を表明したりする訓練を受ける機会に乏しいのです。

古来、水田稲作に勤しんできた農村共同体のなかで、日本人の価値規範が構築されてきたという背景も無視できないかもしれません。

農村共同体では、周囲の人たちと和合しなくては田んぼに水を引くこともできなければ、田植え・収穫シーズンに助け合うこともできない。まさに「和をもって貴しとなす」が死活問題でした。とかく協調性が重んじられ、「人に迷惑をかけてはいけない」と教えられるのは、こうした社会的背景の影響も大きいでしょう。

それは一面では日本人の尊い美徳といえます。しかし、その反面、いわゆる「同調圧力」に抑圧されて、自由にものを考えたり、意見を表明したりできない日本人を量産してきたことは否めないのです。

特に現代という時代にあって、たとえばビジネス、あるいは政治・経済について国際社会で交渉をまとめ上げる局面では、日本人同士では美徳として通用する価値観が不利に働いてしまうでしょう。意見を出し合い、議論することでしか、交渉をまとめ上げることはできないからです。

たとえばアメリカの小学校などでは、「Everybody is different（人はみな違う）」という教育が根付いています。

「それぞれが個性的な存在である」ということを幼いころから徹底的に教え込まれ、だからこそ「何が自分の個性なのか」を表現する訓練を受ける。ことあるごとに「あなたはどう思うのか」と問うのが、アメリカの教育です。横並び思想で覆われた日本の教育とはかなり様相が違います。

こう言うと、日本の社会や教育を全否定しているように聞こえるかもしれませんが、それは本意ではありません。

「アメリカでは～」「ヨーロッパでは～」と、何かに付けて海外（特に欧米）を引き合いに出す「出羽守（でわのかみ）」は、私がもっとも軽蔑している、知性に欠ける態度の1つです。

「Everybody is different」という教育が根付いており、私たちから見ると「自分の意見がはっきりしていて議論好き」というイメージが強いアメリカ人ですら、議論して合意に達するのは一苦労です。

たとえば大学の講義でいきなり議論の場に放り込まれた大学生が、みな、堂々と自分の意見を言えるわけではありません。また最近では、ポリティカル・コレクトネス（政治的正しさ）に挑むようなことはせず、波風を立てることを忌避する風潮も、学生の間には広がっているように思われます。

ビジネスや政治の舞台でも、場を和ませるためのアイスブレーキングを最初に入れたり、まず信頼関係を構築することに努めたりと、いろいろな試行錯誤をして初めて自由闊達（かったつ）な議論が可能になる。この点に大した国際的な違いはありません。

つまり何がいいたいかというと、「日本人は意見を言うのが苦手」「だから日本人はダメなんだ」などと、過度に自虐的になる必要はないということです。

先ほども触れたように、たしかに多くの日本人は、自分の頭で考え、自分なりの意見を醸成し、それを表現するというトレーニングを受けていません。農村共同体という社会的背景から周囲との和合を重んじるあまり、他者との意見の相違を過度に恐れ、「批判」を「否定」と受け取るきらいもある。

●日本人の最重要課題は「自己肯定感」

しかし、こんなふうに周囲の顔色を窺うのが日本人だけかといったら、まったくそんなことはありません。

それは人間という動物の性であり、どの国の人であれ、程度の差こそあれ周囲の顔色を窺いながら、おそるおそる議論していることも多いのです。同調圧力の強度という点でいえば、むしろ日本人よりも、東南アジアの国の人たちのほうが強いくらいかもしれません。

英語に対する過度な苦手意識もそうですが、世界中から学生が集まるアメリカと日本の両方で教育に関わってきた私から見ると、日本人は、どうも自己肯定感が低すぎる気がします。

現に13歳～29歳の若者の自己肯定感を調査した国際比較では、日本は、アメリカ、イギリス、ドイツ、フランス、スウェーデン、韓国との比較で最下位（「自分自身に満足している」「自分には長所がある」という設問に対しての「はい」と答えた割合）。これは私の肌感覚としても、かなりうなずけるのです。

ひょっとしたら、日本人が意見をもつのを苦手とする最大の原因は、自己肯定感の低さにあるのかもしれません。

意見をもつことと、正解を出すことはイコールではありません。日本人と比べてアメリカ人が意見を言えるのも、正解を出せるからではなく、周囲から見て「なんじゃそりゃ!?」という意見でも臆せず言える図太さがあるからでしょう。

意見は、いうなれば、さらなる思考の出発点であり糸口です。「現時点では、これが自分の意見だ」というものがあることが、その後、新たな知識や情報をもとに、より筋のいい考えを導く思考力につながるのです。

前にも述べた英語と同様、誰かと正しさを競っているわけではありません。あくまでも自分のために、自由に意見をもつ勇気、堂々と表現する勇気を出してほしいなと思います。

●意見は「事実確認」だけで生まれない

では改めて、本章では「自分の頭で考え、自分なりの意見をもつ」ということについて考えていきましょう。

まず「意見」とは何でしょうか。

ひとことでいえば、それは「よき思考」の成果です。

この点で私が非常に口惜しく思っているのは、日本の大学で出されているレポート課題は、「事実確認をせよ」というものが大半なのではないか、ということです。

というのも、レポートを書くことは本来、自分の頭で考え、自分なりの意見をもつ格好のトレーニングになるはずなのに、事実確認に終始していては、それがほとんど成り立たないからです。

事実確認とは、いうまでもなく「こういうことがあり、その影響で、こういうことになりました」というように、起こったことを克明に書き記すことです。

事実確認それ自体の重要性を否定するものではありませんが、事実確認自体で満足していては、その先に進むことができません。何よりも事実確認を丁寧に行うことの価値や意味が分からないままで終わってしまいがちです。「調べてまとめてみよう」という課題が一定の効果を発揮するのは、小学生の宿題まででしょう。

大人になったら、一番重要なのは、事実を踏まえて「自分はどう考えるか」です。事実確認は本来、レポートを作成するために必要な最低限の準備であり、ものを考える土台に過ぎません。

それにしても、なぜ日本では、学生に「事実確認」をさせておしまいになりがちなのでしょうか。

おそらく、それは課題を出す側が「ポジション・テイキング＝悪」と捉えているからだと私は見ています。

意識的か無意識的なのかはわかりませんが、ある立場からの予断をもってものを考えたり、意見を言ったりすることを、よくないと思っている。だから意見表明ではなく、誰から見ても中立的でいられる事実確認を学生に求めるのでしょう。

加えて、事実確認と違って意見は評価するのが大変だという、課題を出す側の手続き的な都合も関係しているのかもしれません。

事実確認は単純に「正誤」で採点しようと思えばできますが、意見表明は、「ロジカルであるか」「妥当性のある知識、情報に基づいているか」といった点で評価する必要があります。

つまり「私はこのように考えました」という答案には「正誤」の明確な基準がないため、採点するほうは機械的に作業できず、それなりに時間を割きながら考えなくてはいけないのです。

しかし、事実確認は思考ではありません。思考でない以上、いくら事実確認をしても思考力は磨かれないし、その成果である自分の意見をもてるようにもなりません。

つまり自分の頭で考え、意見をもてるようになるには、「間違えている可能性」はいったん置いて、ポジション・テイキングをしてみること。まず1つのポジションに立ってみないことには、何も始まらないわけです。

ポジション・テイキングは思考の終着点ではなく、出発点と捉えるといいでしょう。

●自分の意見をつくる基本のトレーニング法

ひょっとしたら日本人は、意見を形成するトレーニング機会に乏しいぶん、意見をもつこと自体を、何か大きなことだと構えている人が多いのではないでしょうか。

「意見に対する批判」を「人格（存在）否定」と捉えがちな精神的土壌があるために、自分が意見を言うことで自分が傷ついたり、誰かを傷つけたりすることを、過度に恐れているようにも思えます。

いずれにせよ、もっと柔軟に考えていいのです。

あとでも述べますが、ある1つの意見をもったら、生涯、それを貫かなくてはいけないわけではありません。

たとえば東日本大震災での福島第一原発事故の直後には「反原発」の立場をとっていた人が、ロシアによるウクライナ侵攻の影響で、世界的にエネルギー価格が高騰するなか、「原発再稼働賛成」の立場に回ったとします。

これは、まったく不誠実でも理不尽でもないと考えます。判断基準があれば、状況の変化に応じて、あるいは新たに得た知識や情報をもとに意見は変わって当然なのです。

また、私たちは、幸いにして言論の自由が憲法によって保障されている国に住んでいます。世界には言論統制が激しい国もあるなか、そんな恵まれた環境に感謝しつつ、もっと自由にものを考え、意見を表明してもいいのではないでしょうか。

自分は自分です。そして他人は他人です。もちろん誹謗中傷は論外ですが、自分の意見が誰かを傷つけるかもしれないなどと気にする必要もないでしょう。

意見をもつことをもっと柔軟に考えていいといったのは、こういうことです。

そのときどきに自分なりに一生懸命考えて、「今はこう思っている」という意見をもてること自体に価値があると考えてください。口に出すことに抵抗があるのなら、とりあえずメモ帳などに箇条書きで書き出してみるだけでもかまいません。

では実際、意見形成できるようになるには、どうしたらいいでしょうか。

先ほど、まず1つの立場に立ってみないことには、何も始まらないと述べました。

ただし、このポジション・テイキングは「なんとなく」ではいけません。「なんか嫌だな」「なんかいいな」という直感だけでは、何も考えていないのと同じです。

自分の感覚を無視しようということではありません。実際、感覚が思考の出発点になることもあります。

しかし、あくまでも意見とは、知識や情報に裏付けられた思考に基づくべきもの。「なんとなく、これが正しい気がする」といった感覚的なポジション・テイクは、意見とはいえないのです。

そこで、自分の意見をつくるトレーニングとして、おすすめしたいことが2つあります。

1つは、自分が正しいと考えることと、その正反対の意見の両方に理由付けをしてみること。

たとえば、「労働力確保のための移民の受け入れ」「原発再稼働」などの社会的課題について考えるとき、「賛成派の理由は何だろう」「反対派の理由は何だろう」と考えてみる。だいたい3つも理由を挙げることができれば、自分なりにポジション・テイクできるはずです。

いわば両方の主張を自分のなかで戦わせる「脳内ディベート」をすることが、いずれかのポジションを選択して自分の意見を明確にする練習になるというわけです。

また、ここで挙げた理由付けが、後から再考する際の検討材料にもなります。感覚的なポジション・テイキングをしていると、再考しようにも検討できる材料がないので、思考を発展させることができないのです。

そしてもう1つは、社会的課題について考える際に、まず信頼できる言論空間から、主だった主張を集めてくることです。

すでにどのような議論が行われてきたかということを把握するとともに、それらの議論で見落とされていることはないか、エビデンスが欠けているところはないかをチェックしながら、自分なりに考えてみる。2章で紹介したメモ術なども駆使して、読んだこと、考えたことの痕跡も残しましょう。

これも、自分の意見をつくる非常によいトレーニングになります。

繰り返しになりますが、こうして形成された意見は、思考の終着点ではありません。いったん意見をもった時点で「自分なりの正解は出せた、以上」と思考停止するのではなく、引き続き考えていく。現時点の意見は、より筋のいい意見を醸成していくための出発点、あるいは1つの通過点に過ぎません。

●「HOW」ではなく「WHY」を問う

まず、次の2つの問いを読んでみてください。

・第一次世界大戦は「いかに（HOW）」起こったのか？
・第一次世界大戦は「なぜ（WHY）」起こったのか？

これらは似ていますが、出てくる答えの性質がまったく違います。

ためしに答えを考えてみましょう。

第一次世界大戦は「いかに」起こったのかと問われたら、何と答えるでしょうか。

「オーストリアの皇太子が、ボスニア・ヘルツェゴビナの首都サラエボを訪問中に、セルビア人青年に暗殺された。この『サラエボ事件』が第一次世界大戦の引き金となった」

という教科書でお馴染みの内容――おそらく10人いたら10人全員が、こう答えるに違いありません。

では、第一次世界大戦は「なぜ」起こったか、と問われたら何と答えますか。

ここで問われているのは「なぜ＝理由」ですから、先と同じ「オーストラリアの皇太子が……」では、問いと回答が合致しません。サラエボ事件は第一次世界大戦勃発の引き金になったに過ぎず、そこに至るには複数の理由が複雑に絡んでいたと考えられるからです。

したがって「ＷＨＹ」の問いに答えるには、さまざまな事実を概観して自分なりに考察を加え、仮説を立て、知識や情報を使って検証しなくてはいけません。

それはつまり、問いに対して単なる事実確認ではなく、事実の評価（ある事実を、自分はどう評価するか）をもって答えるということです。それは、1つの意見を形成するという思考作業にほかなりません。

そして、そこで立てられる仮説は、ひいては「戦争そのものがなぜ起こるのか」という点についても示唆的であるはずです。

「第一次世界大戦はなぜ起こったのか」と個別具体的に考えてみるプロセスが、「戦争が起こるメカニズム」について、自分なりに意見形成することにもつながるのです。

「ＨＯＷ」を問うことで出てくるのは情報収集による事実確認だけである一方、「ＷＨＹ」は事実確認も含めて、物事の仕組みそのものを考えさせます。この点において、ＨＯＷとＷＨＹは、まったく志向性の異なる問いといえるわけです。

では、どちらのほうが思考力を向上させる問いかといったら、もちろん「WHY」です。前にも「事実確認は思考ではない」と述べましたが「HOW」を問うだけでは、いかなる思考も喚起されません。

第一次世界大戦は一例として挙げただけで、これは何にでも当てはまることです。歴史上の出来事から、目下、社会で大きな問題となっている事柄まで、「WHY」を糸口に仕組みそのものについて思考を巡らせてみることも、意見形成のよいトレーニングになるでしょう。

●いろんな正解がある前提で考える

意見形成には、「俯瞰してみる」というプロセスが欠かせません。

事実関係を並べてみるのも、異なる複数の立場から物事を見てみるというのも、要は一度高いところから全体を見渡してみてから「では、自分はどう考えるか、どう見るか」と思考を深めていくということです。

国際情勢を読み解き、未来予測を立てるときにも、国際社会の未来に関わると思しき主要国それぞれの統治者の立場から考えてみなくては、的確には読み解けません。

それぞれの立場になって脳内ロールプレイをしてみるといったら、イメージしやすいでしょうか。

私が日本の大学院で国際政治学を学んでいたころ、アメリカの大統領はクリントンでした。

当時の懸案の1つは、北朝鮮の核開発に対するクリントン政権の対応でした。のちに、米国大学で教鞭を執るなか、アメリカ、北朝鮮、さらには中国、日本、韓国が、それぞれどう対応する可能性があるかを、授業のなかでシミュレーションしたことがあります。

まず、クリントン政権はどう対応するか。

①北朝鮮に核攻撃をする、②核以外の戦術兵器を使った攻撃を行う、③外交努力を続ける、④経済制裁を与える、⑤何もしない、という5つの選択肢を設け、それぞれに対し、先の4カ国がどう対応するかを議論したのです。

すると、各国の歴史的背景や政情などについてよく知らない学生は、かなり的外れな予測を立てました。そこで改めて明確になったのは、「自分が、あの国の政策決定者だったら」という視点をもって考えてみることの重要性です。

知識や情報に根ざした想像力を駆使して、その国を統治する当事者の立場になってみないと、読み解きがかなり甘くなってしまう。

異なった立場から考えてみるというのは、つまり「正解は1つではない」前提で考えるということです。

立場によって、いろんな正解がありうる。極端なことをいえば、隣国に侵攻した国が世界中から非難を浴びていても、攻め入った側にとっては侵攻こそが「正解」だから、そのような行動をとっているわけです。私はこうした侵略行為を容認するつもりはありませんし、理解を示すこともしません。しかし、自分と価値観を共有していない、暴力の行使を辞さない集団も、世の中には存在するという現実は直視しなければならないのです。

このように、立場によって受け入れられる正解もあれば、とうてい受け入れられない正解もあるなかで、いったんはすべてを俯瞰したうえで、「私は、（現時点では）これが正解だと思う」と立場を明らかにするのも、意見形成の一形態なのです。

もちろん、これは国際情勢を考える場合に限った話ではありません。

まずポジション・テイキングをすることが思考の出発点と言いました。

しかし、そのために一方的な見方に陥り、ほかのポジションに立つ人たちの事情や背景を斟酌（しんしゃく）できなくなって、事態の推移を読めなくなったり、いたずらに合意形成を難しくしたりするのは避けなくてはいけません。

「もし相手の立場だったら、と考えてみよう」というのはコミュニケーション術としてよくいわれることですが、ポジション・テイキングと俯瞰的思考を両立させるためにも、これは、やはり重要な思考法なのです。

●「正解の根拠」まで考えてみる

「正解」という言葉は非常にトリッキーです。

まず、世の中のほとんどの問題は「正解が1つ」ではありません。さらに、今は正解とされていることが修正される可能性もあります。いくら強固に見える知識でも、別の正解によって覆される場合があるのです。

たとえば鎌倉幕府の成立年といえば、日本史の教科書ではずっと「1192年」とされていましたが、つい数年前に「1185年」に修正されました。

なぜ修正されたかというと、1192年とする見方に異議が生じたからです。

1192年は源頼朝が征夷大将軍に任命された年です。

征夷大将軍は幕府を司る役職ですから、その年を鎌倉幕府成立の年とするのが妥当とされてきました。しかし征夷大将軍に任命されるより前から、頼朝は着々と幕府の基盤を整えていました。それが完了したとされるのが1185年です。

そこで近年の研究では、お上のお墨付きとして正式に征夷大将軍に任命された1192年よりも、幕府の基盤が整った1185年を、実質的な鎌倉幕府の成立年とするほうが妥当である、という見方が強くなったのです。

つまり、次のような機序で、すでに正解とされていたことの「そもそも、なぜそれが正解とされるのか」の有効性に疑いが生じ、別の見方が採用されたから、教科書が修正されたわけです。

・すでに正解とされていたこと＝鎌倉幕府の成立年は1192年
・そもそも、なぜそれが正解とされるのか＝頼朝が征夷大将軍に任命された年だから
・その有効性に疑いが生じた＝頼朝が征夷大将軍に任命された年を成立年とするのは、本当に妥当だろうか？
・別の見方が採用された＝幕府の基盤が整った年を、実質的な鎌倉幕府の成立年とすべきだ

「そもそも、なぜ1192年が正解とされるのか？」を問う姿勢がなかったら、その根拠に疑念が生じることもなく、「1185年としたほうが妥当である」という知識の更新は起こらなかったでしょう。もちろん、この先、さらに修正される可能性もあ

ります。

「いいくに（1192）つくろう鎌倉幕府」のように、多くの人が正解と信じて疑わなかったことですら、専門家の間では議論が分かれ、こうして修正される場合があるわけです。

そう考えると、世の中に数多ある「正解」が、どれだけ脆いものであることか。思考力を高めるには、ある正解が「正解とされていること」に頼り切らず、「なぜ正解とされているのか」、その根拠にまで思考を巡らせることも必要です。

一般的に「これが正しい」とされているものを無批判に受け入れるのは、マインドコントロールされやすいといってもいいくらいの危険な思考停止状態です。

ほとんど頭を使わない思考停止状態は楽かもしれませんが、考えるということをやめたら、意見のない人間になってしまいます。つまり、自分で何一つ選択も判断も決断もできないことになる。

それは人生を他者に丸投げするのと同じです。自分の人生を、自分の足で歩んでいくことができなくなってしまうのです。

だから、すでに「正解」とされているものにも、批判的な視線を送ることを怠らないこと。反証してみせよということではなく、「そもそも、なぜこれが正解とされているのか」を考えることが重要です。

この発想で身の回りを見渡してみると、どれほど自分が「正解とされているもの」に囲まれているか、今まで、いかに自分が多くの「正解」を教えられてきたか、気づくに違いありません。

いくつもの正解を無批判に覚えるのではなく、正解が導かれたプロセスに目を向けてみることで、応用可能な思考力が養われます。

「正解だから、正解」、あるいは「いいから、いい」「ダメだから、ダメ」というのは、論理が崩壊したトートロジーです。これも教養人の思考トレーニングの1つと思って、自分なりに「正解とされていることの根拠」を探ってみてください。

●よくある問いを「逆側から」問うてみる

よい問いを発することができる人は、よりよく思考することができます。

先に述べた「ＷＨＹ」も、物事の事実関係ではなく仕組みを考えるきっかけになるという意味で、よい問いといっていいでしょう。

ここで紹介するのは、「逆側から」問うてみるという問いの立て方です。

【逆側から問うてみる方程式】

◆よく「なぜ○○は△△なのか？」と問われている場合

↓「なぜ○○は△△じゃないのか？」と問うてみる

◆よく「なぜ○○は△△しないのか？」と問われている場合

↓「なぜ○○は△△するのか？」と問うてみる

特に、よく世間で取り沙汰されている問いを、このように逆側から問うてみると、一般的には見過ごされがちな視点から物事の本質を見抜ける場合が多いのです。

具体例で考えたほうがわかりやすいでしょう。

選挙シーズンになると、決まって投票率の低さが取り沙汰され、「なぜ人々は投票に行かないのか？」と盛んに問われます。これは「投票に行くのが当然なのに、なぜ行かないのか？」と問うているに過ぎません。

しかし現実には、「投票に行くのが当然」という前提部分が反映されていないわけです。そのあたりの仕組みを紐解かない限り、「なぜ投票に行かないのか？」の答えも、有効な解決策も見えてこないでしょう。

では、これを「逆側から」問うとしたら、どうなるか。

先ほど挙げた方程式に当てはめると、「なぜ人々は投票に行くのか？」という問いを立ててみることになります。

「多くの人が投票に行かない」という現実があるときに、「なぜ行かないか？」を考えるのではなく、「逆に、なぜ行くのか？」を考える。人々が投票行動をとる、そもそもの動機について仮説を立て、立証を試みるということです。

すると、もともとの問い、「なぜ人々は投票に行かないのか？」についても、答えらしきものが見えてきます。

「なぜ行くのか？」の仮説のなかの要件、つまり人々が投票行動をとる、そもそも動機が欠如していることが、「なぜ、行かないか？」の答えではないかという、もう1つの仮説が成り立つでしょう。

そして「なぜ行くのか？」の仮説のなかの要件を満たせば、きっと人々は投票に行くようになるだろう――では、どうしたらその要件を満たすことができるだろうか、という具合に、具体的な解決策へと議論を進めることができるのです。

さて、実際に、この逆側からの問いについて考えてみると、どうでしょう。

なぜ、人々は投票に行くのでしょうか？

人々が投票行動をとる、そもそもの動機は何でしょう？

・自分の1票が選挙結果を変えうるということを体験したいから

・選挙キャンペーンが楽しいから
・家族や友人に「投票に行こう」と誘われるから

実際に投票行動をとった人へのアンケート調査などで、こうした仮説が立証されたとしましょう。

そうしたら、いったん逆側から問うてみたことを、さらにひっくり返して元の問いに戻す。つまり「なぜ投票に行かないか？」といえば、これらの「投票に行く」動機が欠如しているからと考えられます。

ならば、問題は、「自分の1票が結果を変えうるということを体験したい」という動機、「選挙キャンペーンが楽しい」という動機、「家族や友人に『投票に行こう』と誘われる」という動機を、いかにより多くつくれるか。

そこから、現実的かつ具体的な方策を話し合って決めていくという、合意形成のプロセスが始まります。

政治の話には関心がないと思ったかもしれませんが、「なぜ、この新製品は売れないのか?」といったビジネス上の問いにも、今の例と同様、逆から問う方程式を当てはめて考えることができます。

「なぜ、売れないのか?」という問いには、「売れて当然」という無意識の前提がある。しかし現実には売れていないのだから、まず、その前提を取り外して考えてみなくてはいけません。

そこで逆側から問うてみる。

「そもそも、なぜ買うんだろう?」という点から考えていけば、その理由が欠如していることが売れない原因であるという仮説が立ちます。そして、その理由を補うことを突破口として製造、もしくは販売の戦略を練り直すことができるでしょう。

●意見は変わるものである

どのような意見にも、知識や情報という前提条件があってしかるべきです。「この問題について私はこう考える。なぜなら~」と、知識や情報に基づいた考えを明示できるということです。

そして、ここからが重要です。

知識や情報という前提条件があってしかるべきだからこそ、意見は、いつなんどきでも変わりうるものなのです。

なぜなら、新たな知識を得たり、情報を更新したりするのが人間の常だからです。

意見が変わるというのは、いうなれば「ラーメンの好みが変わる」のと似たようなものです。

たとえば「若いころはこってりした豚骨ラーメンが好きだったけれど、40代も過ぎると、あっさりしたしょうゆラーメンのほうが好みになってきた」というのは、年齢という前提条件が変わったことで、好みが変わったということでしょう。

これと同様、思考する際の前提条件は絶えず移り変わっているわけで、必要に応じて意見を変えることができる人こそ、実は真の教養人といえます。

必要に応じて意見を修正する。誤った考えにこだわっている自分に気づいたら、反省する。要するに、今の自分の考えは絶対ではなく、新たに学ぶことで変わっていくものである――。

意見を変えるのは不誠実であるとか、恥ずかしいことであるなどと思われがちですが、実は逆です。外的環境が変わったことで、大切にすべき価値観すらも変わるかもしれません。

そのときにどう考えるか。元の意見に、いかなる修正を加え、新たな意見を形成するか。このような謙虚さ、正直さも、教養人の条件なのです。

同性婚に反対だった人が、当事者の意見を読んだり、身近な当事者から話を聞いたりしたことで同性婚賛成派になる。

再生エネルギー推進派だった人が、大規模な山林伐採が行われる状況を目の当たりにして、メガ・ソーラーに異を唱える。

すべて妥当な意見の変化といえます。

もし、まったく考えが変わらない、あるいは頑なに変えようとしないとしたら、それは意見ではなく、知識や情報の更新を考慮できない単なる意固地、もっといえば信仰、盲信です。

1つの意見に落ち着くのは楽で安心ですが、そうなると、考えることも、学ぶことも、判断することも放棄することになる。一生、謙虚に学びつづけることが教養ある態度とすれば、考えが「変わらない」「変えない」というのは、とうてい教養ある態度とはいえないのです。

人には、自分の尊厳の1つとして、「首尾一貫性を保ちたい」という素朴な欲求があるというのも事実です。

しかし、過去に見通したことの正しさが、ずっと続くという保証はありません。今このときの意見だって、何かを見落として、誤っているかもしれない。いくら自分では正しいと思えても、常にその確信を疑い、振り返ることが欠かせません。

顕名で発言するオピニオン・リーダーならともかく、日常生活では意見を示すことに社会的な責任を負うわけではありません。自分の判断を自分の反省材料としてメモするだけなら、なおさら意見とは状況に応じて修正しながらアップデートしていくもの、というくらい軽く考えてもいいと思います。それこそラーメンの好みが変わるように。ただ、大切なのは自分なりに変化の理由を説明できることです。

そして、ここで改めて強調したいのが、読んだこと、考えたことの痕跡を残すことの重要性です。

前提条件が変われば、意見も変わる。

ただし、自分の思考を振り返る材料がなければ、前提条件の変化に応じて意見を調整しようがありません。

「今はどんな知識や情報に基づいて、どう考えているのか」を書き残しておくことが、あとあと、必要に応じて意見を調整する糸口になるでしょう。

何も論文を書こうなんて言っているわけではないのですから、大げさに考えることはありません。

日々、考えたことを、日々、記録する。日記のようなものです。「今日、あったこと」を書き記すように、「今日、考えたこと（理由も含めて）」を書き残していけば、その蓄積が振り返りの貴重な材料になります。

痕跡を残しておくと、自分の意見を説明できます。意見が変化したときも、「あのときはこう考えていたが、こういう知識と情報の更新を経たことで、このように変わった」と説明することができます。

コロコロと意見が変わる人は信用できないという見方もあるでしょうが、少なくとも「説明の用意」があれば、その心配はありません（あまりにも頻繁に意見が変わるのは、その人の事実認識や思考法に問題があるともいえますが）。

痕跡を残すには、自分と相性のいいツールを選ぶといいでしょう。

2章でも挙げた紙のメモ帳、スマートフォンやパソコンのメモアプリ。さらにはTwitterでの発信も、痕跡を残す方法になりえます。私も、たまにTwitterで毒を吐いたりしますが、これも自分にとっては、思考の痕跡を残す方法の1つです。

●「So what?」まで考える

「So what?」は、「だからなんなの？」という意味で、ぶっきらぼうな響きの言葉なので、使い方を間違えると大変に失礼に聞こえます。表情や口調、関係性に注意しながら使わなければなりません。一方で、実はアメリカの大学生や教員の口からしばしば発せられる言葉でもあります。

どういうことかというと、「ある事柄について自分はこう考えた」――これだけでは、実は十分ではありません。「自分がこう考えたことは、社会にとってどう大切なのか。どんな意味をもちうるのか」と考え、言語化するのです。より丁寧な言い方をすれば「そこから導き出される一般化可能な示唆は何ですか？」ということを問い質しているのです。

そこまで考えなくてはいけないのかと落胆したかもしれませんが、これは非常に重要なポイントです。

教養とは、自分の意見を形成するだけでなく、社会（所属するコミュニティや組織）の一員として自分の意見を人と共有し、議論し、最終的には合意形成していくために培うものです。本書の主眼もそこにあります。

「私はこう考えました。以上」では、共に議論し、合意形成していく動機が他者に生まれません。他者は他者で、「ああ、そうですか、あなたはそう考えたのですね。以上」でおしまいです。

あるいは「これがどう大切かというと、私にとって大切なんです、以上」では、「みなさんのことは知りませんが、私の感情に寄り添ってください」と言っているに等しいでしょう。他者からしたら、「は？　そんなの受け入れられません。以上」で、やはりおしまいです。

いずれにせよ単なる独りよがりであり、これでは他者と共に合意形成を目指すことはできません。

まず目指したいのは、自分の頭で考え、意見形成できるようになること。

ただし、そこで立ち止まらずに、ぜひ思考するごとに「この自分の意見は社会的にどう大切だろう。どんな意味があるだろう」と考える。

これが最初に述べた「一般化可能な示唆」を導くということです。そこまで意見を昇華させる習慣があってこそ、教養人として、よりよい社会の構築に関わりながら生きていくことができるのです。

5章

人と共に学ぶ

―― 議論し、合意形成を目指すのが真の教養人

●学びを「独りよがり」にしない

「役に立つこと」ばかりを追い求めていると、教養の幅が狭くなり、思考が浅くなり、結局役に立たない人間になってしまいます。だから「役に立つ学問だけ学びたい」というのは不毛であると、前に述べました。

ただし、もっと長い目で見たところでの目的意識は必要。これも、すでにお話ししてきたことです。

この社会の一員として、自分は何を学び、いかに考え、そして行動していきたいのか。教養を深める学びの旅は、こういう大きな目的意識があってこそ続けられるものなのです。無駄や遠回りを許容する、余裕のある態度も、必要なのです。

単に「新しいことを知るのは楽しいから学ぶ」といった初期動機も、学びつづけるモチベーションにつながるでしょう。ただし多くを知ることは、それだけ多くの不安を抱えるということでもあるため、「何のために学ぶのか」を考え、学ぶ動機を整理しておくことも大切です。

自分に内在する知的好奇心や学ぶ動機は、やはり軽視しないほうがいいのです。

そこで本章のテーマです。「人と共に学ぶ」──本章は、一人で学ぶことで陥りやすいワナに陥らないための心得の章として設けました。

そのワナとは、学びが独りよがりになってしまうこと。

たとえば、ここに一人の男がいるとしましょう。彼は学ぶことが大好きで、古今東西の思想書や哲学書、政治学書などをたくさん読みました。そして学ぶうちに、こんな野望を抱くようになりました。

「学べば学ぶほど人間の本質がわかってくる。人間は本来、愚かなものなのだ。よし、自分は世界を征服する悪の帝国の独裁者として君臨してやろう」

彼は役に立つことばかりを追い求めていたわけではなく、幅広く学ぶうちに人生の目的を見出しました。

しかし、それは非常に身勝手な目的意識です。彼の学びは独りよがりであり、自分一人のことしか考えられなくなってしまった。教養人として、さらには人としても、これはとうてい社会的に受け入れられないものでしょう。

身勝手な野望でも、たとえ社会的に受容されなかろうと、自分一人の力で叶えて幸せになれたら、それでいいじゃないかと思ったかもしれません。

しかし、映画のなかで悪の帝国の成立を目論む独裁者も、孤独のうちに滅びると相場が決まっています。

勧善懲悪という物語は、そのテンプレートがあるだけでなく、やはり、自分のことしか考えていない身勝手な人生の目的は、結局は誰からもサポートされることなく、達成されないという現実を象徴的に描いているとも受け取れます。

学ぶ目的、人生の目的は、何も崇高である必要はありません。

「自分の恋愛対象者にモテたい」「豊かに暮らしたい」「かっこよく生きたい」、なんでもいいのですが、そこに自分勝手な動機しかないと、学んでも学んでも自分が楽しいだけで、社会的な共感や支援は得られません。

すると、おのずとできることの幅は狭くなってしまうというわけです。

人間は社会的な動物です。そして社会的動物は、周囲に受容され、サポートされるほどに、社会の一員としての目的意識に適った人生を送ることが可能になるのです。

では、どうすればいいか。

そこでまず重要なのが、「学びを独りよがりにしない」という意識と実践なのです。

学んだ。考えた。意見をもった。

そのうえで、自分の学びなり思考なり意見なりを自分だけのものとして満足するのではなく、周りの人たちにどう受容されうるか、それによって社会にどのような価値を与えうるかと冷静に振り返ってみること。そして、意見を言語化し、周りに説明できる自分であるために準備をすることです。

自分が学んだこと、考えたことを人と共有し、議論を重ねることで、人生の目的を叶えていく。共に、よりよい社会を構築していく。それでこそ学ぶ価値、考える価値があるというものでしょう。

教養を身につけるというのは、「一人で学んで考える」というプロセスなしには成立しません。

●人と共に学ぶ意義

そういう意味で、独学は非常に重要だというのが私の考えですが、反面、独学「だけ」では得られないものがあることも、あわせてお伝えしておかなくてはいけません。

はたして、他者と共に学ぶことには、どのようなメリットがあるのか。

たとえばソクラテスやプラトン、アリストテレスに代表されるギリシャ哲学のベースは対話です。ところ変わってインドのブッダの教授法も対話、日本の禅問答も対話と、みな対話を通じて考え、互いの理解を確認し合っていました。

こうした先人たちの足跡に倣うならば、やはり対話の能力は必要でしょう。

学びを独りよがりにすることの危険性については、前項でお話ししました。

自分の意見を説明できるようになることが、人生の目的を叶えていくためには不可欠です。何かを学んで考えたこと、あるいは経験して考えたことを、まず自分のなかで言語化して腹落ちする。では、それが他者にとっても納得できるものであるかどうかは、実際に対話をしてみないと検証できません。

自分だけが納得できる「俺様理論」で突っ走るのは、学びを独りよがりにしている身勝手な態度です。

繰り返しになりますが、そのために暴力や恫喝によって他者を誘導するというのは、とても教養人のやることではありません。第一、周囲のサポートを得られず、できることの幅が狭くなってしまう。

人生の目的を叶えるために必要なこと──たとえば社会に向けてメッセージを発信したり、新しい価値を提供する事業を起こしたりするには、「俺様理論」から抜け出し、自分の考えを他者に説明する、議論するというプロセスが不可欠です。

そのなかで、合意形成の努力をするなり、合意形成できない部分を見極め、調整を試みるなり、さまざまな対話の練習を積み重ねていく。このプロセス自体が、本書でいうところの「他者と共に学ぶ」ということです。

それも場数を踏めば踏むほどいい。自分が正しいと思っていることを話したら、思ってもみない観点から反論されて納得し、考え直すこともあるでしょう。自分では持ちえなかった発想によって、自分の意見がサポートされることもあるでしょう。

こうして合意形成の力が培われることが、他者と共に学ぶ意義なのです。

●「瞬発力」よりも「粘り強さ」が重要

他者は予測不可能な存在です。議論のシミュレーションならば自分一人でも可能ですが、たとえどれほどＡＩが進化しても、生身の人間の反応はシミュレーションどおりにはいきません。

いってみれば、テニスの練習と似たようなものです。

たくさん壁打ち練習をすれば、ある程度までは上達するでしょうが、限界がありまます。当然ながら、壁には意志がありません。打ったボールがどう返ってくるかは物理法則に則っているため、おのずと瞬時にパターンを読むクセがつきます。

しかし、生身の人間は勝つという意志のもとで思考し、戦略を立てます。相手が不意にスライスを打ってきたり、かろうじて打ち返したボールにボレーを決めてきたりと、予想外の動きをする試合で勝てるようになるには、生身の人間を相手とした実戦練習を積むしかありません。

これと同じく、議論し、合意形成する練習は、どうしても他者の存在がなくてはできないのです。

自分のなかで筋道を立てる内的整合性をもつことは自分一人でも検証可能ですが、それが他者にとって理解可能か。整合的であると納得してもらうには、どう言葉を尽くして話したらいいいか。

しっかり伝わるようにするための言葉の選択力やコミュニケーション能力も、やはり実際に他者と話してみるなかで磨かれるものです。

ですから、一人で学べることと一人では学べないことがあると自覚し、「独学のギア」と「他者と共に学ぶギア」を適宜、切り替えられるようになることが重要です。

独学は独学として自分一人で学びを深めつつ、その限界もきちんと認識して、他者と共に学ぶ機会を積極的に求めていく。

そういう状況をあえて設けでもしなければ、自分が考えていることの外的整合性を、自分で振り返って検証するなどという努力は、なかなかできないのではないでしょうか。

そこで、もっとも重要なのは「粘り強さ」です。

笑いの絶えない和やかな場をつくりたいとか、相手と仲よくなりたいといった場合は、楽しく朗らかなコミュニケーションができるに越したことはありません。ディベートのように相手を言い負かすことが目的の場では、相手のロジックの穴をことごとく突いて追い込む能力が求められます。

この2つの例からもわかるように、どのようなコミュニケーションが求められるのかは、その場の性質や目的によって異なります。

合意形成に向けて議論を重ねる場は、歓談の場ともディベートの場とも違うと思ってください。最初のアイスブレークはともかく、楽しく朗らかなだけでは踏み込んだ議論ができません。相手を言い負かそうとするような態度では議論のテーブル自体を壊し、合意形成の可能性をみずから断ってしまいかねません。

合意形成を目的とする場で求められるのは、言葉を尽くして自分の意見を伝え、相手の意見にも真摯に耳を傾けることです。

なかなか自分の意見を理解してもらえないなら、粘り強く説明を重ねる。相手の真意が瞬時につかめないなら、粘り強く質問を重ねる。こうした粘り強さが、相互理解、共感、支援、協力――つまりは合意形成を導くカギとなるわけです。

●議論の「撤退線」を引いておく

合意形成とは、もちろん、一方的に自分の意見を述べることで成立するものではありません。

生身の人間が相手なのですから、何かしらの反応があるものです。また、自分と相手は同じ人間ではない以上、たいていは食い違いが生じるものです。

つまり、容易には合意形成できない場合もある、むしろそのほうが多いということを自覚しておくことも、他者と共に学ぶ、いや社会生活を送りながら学びつづける心得のひとつといえます。

考える力とは、他者との議論の文脈を俯瞰して捉え、いかに自分の大切にしている価値観を共有できる枠組みを構築するか（意見の相違のために、共有する枠組みを構築しないことを選ぶことも含めて）という力でもあるのです。

となると、その議論で何を目指すのかを、あらかじめ考えておくことも重要です。自分の意見は取り下げて相手の意見を受け入れるのか、反論して説得にかかるのか、妥協点を見つけるのか。要は落としどころを想定しておく。といっても、実際に話してみなくては、相手からどんなボールが飛んでくるかはわかりません。

私たちは、常に、相手に関する情報が不完全ななかで合意形成を試みなくてはいけない。相手がどんな価値観や人生哲学、あるいは趣味嗜好をもっているかを100パーセント把握することなどできないからです。

ちなみに、このような状況で交渉することを、経済学のゲーム理論では「情報不完備モデル」といいます。

では実際、どのように議論に臨んだらいいでしょうか。

自分の望む形の合意形成にもっていくための交渉のテクニックは、世に数多くあります。「交渉術」を謳う書籍の多さからも、どれほど多くの人が交渉に悩み、解決策を見出してきたかが窺われます。

しかし、議論の行方は、文脈、時代、単なる気まぐれ、さまざまなものに影響されるものです。

仮に数多くの交渉テクニックを身につけることができたとしてもなお、百戦錬磨とはいかないのが現実でしょう。ならば、議論とは「そういうものだ」と諦めることが、実は一番心が折れにくい意識ではないかと思います。

無理して合意形成する必要はない。どうしても相手の意見に同意できなければ交渉決裂してもいい。決定的に価値観が相容れないとわかったら、金輪際、付き合わないという選択肢をとったっていいわけです。

「俺様理論」で押し切ろうとするのはよくありませんが、自分を守ることも重要です。

自分を守るために何を主張し、どこまで譲歩するのかという、いわば「撤退線」を引くことも教養人の対話態度なのです。

●「具体」と「抽象」を行き来するスキル

「具体」と「抽象」を行き来するスキルとは、個別具体的な話を抽象化し、より一般的・普遍的に当てはまるように昇華させるスキルです。

対話の始まりは個別具体的な話でもいいのですが、最終的には「つまりこういうことなので、この話は（私にとってだけでなく）みなにとって重要なことなのだ」という話にしていくということです。

このスキルがあると、最初は自分にとってのっぴきならない事柄について考えたことでも、周りの人たちや社会一般にも当てはまるものとして話せるようになります。するとより的確に真意が伝わりやすくなって、結果的に「ふーん。で？」なんて思われずに、理解や合意を得やすくなります。

料理でいえば、たとえば「『チンジャオロース―』のコツは強火で一気に炒めること」

という話を、『炒めもの』のコツは強火で一気に炒めること」という話にするようなものです。

「チンジャオロースー」という個別具体的な話が、「炒めもの」に抽象化され、より一般的・普遍的な話へと昇華されているわけです。

このように具体と抽象を行き来するのは、実はアメリカの大学生が、繰り返しトレーニングしていることです。あるいは、外資系コンサル企業の名前を冠した仕事術の本は、基本的には抽象的なモデルと、具体的な事例をどのように往復するかに終始していたりします。

特定のテーマでレポートを書くときも、最終的には、講義内での議論なり、レポート内での結論部分なりで、必ず抽象化することが求められます。いくら特定のテーマ自体についてはよく考察されていても、抽象化したうえでの結論がなくては、そもそも、そのテーマで考察した意味がないというスタンスなのです。

ちょっとわかりづらいかもしれませんが、具体と抽象を行き来するポイントは、自分がもともと考えていたことから固有名詞などの個別性を取り除き、アナロジー（類推）で仮説を立ててみるということです。

たとえば国際政治学には「封じ込め政策」という考え方があります。これはもともと公衆衛生学・疫学とのアナロジーから生まれたもので、実際、さまざまな歴史的局面で、このアナロジーによる施策が検討されてきました。

それは主に「イデオロギーの封じ込め」です。

１９４０年代後半から１９５０年代にかけての共産主義の台頭は、資本主義国にとって忌むべきものでした。

どうしたら共産主義が自国内で広がることを抑えられるか。

この問題を「疫病」とのアナロジーで考えると、感染者を隔離することで感染症を抑え込むように、共産主義者を隔離すれば、共産主義の拡散を抑え込むことができるはずです。

つまり「感染症封じ込め」のモデルを「イデオロギー封じ込め」にも適用してはどうか、という仮説です。

しかし感染症とイデオロギーとでは拡散のメカニズムが違います。

感染症は菌やウイルスに接触しなければ感染しませんが、イデオロギーは人から人へ、あるいは刊行物を通じて秘密裏かつ爆発的に拡散できます。ちなみに現代に置き換えれば、インターネットという、非常に拡散力の強いツールもあります。

要するに、イデオロギーの「感染経路」は、「そのイデオロギーに染まった者＝感染者」の隔離では完全に断つことができない。そういう意味で「イデオロギーと疫病」というアナロジーは筋がよくありません。が、このアナロジーによる「封じ込め政策」が実施された例もあるのです。

わかった人もいるでしょう。それは「ベルリンの壁」です。

西側の価値観が東側に流入することを防ぐために巨大な壁が建設され、「思想の運び手（疫学とのアナロジーでいえば「感染源」）」である人々の流れが物理的に封鎖されました。結局のところソ連は崩壊し、民衆の手によって「ベルリンの壁」は倒されたわけですが、その背後では情報の伝播が重要な役割を果たしました。

これらの例からも見て取れるように、アナロジーで仮説を立てるのは簡単ではありません。少し共通点が見つかったからといって単純に類推すると、まったく筋違いの思考にはまる危険もあります。アナロジーが成立する部分と成立しない部分とを、慎重に精査しなくてはいけません。

そのアナロジーのなかでは、両者は同じロジック、同じメカニズムで物事が動いているか。100パーセント同じではないまでも、異なる部分を許容範囲とするか、それともアナロジー自体を無効とすべきなのか。

Aのケースで有効な解決策は、その他の似通ったケースにも適用できるか。Bの場合はどうか、Cの場合はどうか。それぞれの相違点を分析し、どういう場合には適用できて、どういう場合には適用すべきではないか、適用可能範囲を考える。

こうして類推を用い、具体と抽象を行き来するスキルは、自分のなかで思考を深めるためにも、合意形成を試みる一手法としても、身につけておいて損はありません。

●大切にしたい価値観のために、何ができるか

今までお話ししてきたことから、もう気づいている人も多いのではないでしょうか。

教養とは単なる知識や情報ではありません。いろんなことを幅広く知っていて、情報感度が高いからといって、教養が深いとは限らないのです。

では、「教養人」と、単なる「物知り」を分けるものは何か。

それは「自分や自分の大切な人たちが生きるこの世界には、こうあってほしい」という大きな希望、展望です。

知識や情報、それ自体を得ることを「目的」とするのではなく、自分が大切にしたい価値観が実現された社会をつくる一端を担う「手段」として、大いに学ぶ人、学びつづける人、そういう人を教養人と呼ぶのだと私は考えています。

そして、大切にしたい価値観が実現された社会をつくる一端を担う手段として、知識や情報を得ていくには、前提として「そのために自分には何ができるのか」を具体的にイメージしておくことも欠かせません。

民主主義が行き渡った平和な世界を望むのなら、そのために自分には何ができるのか。

あらゆるマイノリティに対する差別のない世界を望むのなら、そのために自分には何ができるのか。

貧困のない平等な世界を望むのなら、そのために自分には何ができるのか。

まず、「なぜ自分は、世界にそうあってほしいのか」という理由も含めて、望む世界の解像度を高める必要があります。

ひとことで言い表せてしまう世界を、あえて言葉を尽くして説明するとしたら、いったいどんな世界なのか。そこを明確にしないと、自分に何ができるのかを具体的にイメージすることもできないでしょう。

「民主主義が行き渡った平和な世界」とは、いったいどんな世界なのか。

なぜ自分は、世界にそうあってほしい、と願うのか？

そもそも「民主主義」とは？　そもそも「平和」とは？

「あらゆるマイノリティに対する差別のない世界」とは、いったいどんな世界なのか。

なぜ自分は、世界にそうあってほしい、と願うのか？

そもそも「マイノリティ」とは？　そもそも「差別」とは？

「貧困のない平等な世界」とは、いったいどんな世界なのか。

なぜ自分は、世界にそうあってほしい、と願うのか？

そもそも「貧困」とは？　そもそも「平等」とは？


「なぜ」は自分の内側（個人的な体験など）では明確かもしれません。

しかし、いざ望む世界の解像度を高めるとなると、自分一人の頭脳ではとうてい追いつきません。「民主主義」とは、「平和」とは、「マイノリティ」とは、「差別」とは、「貧困」とは、「平等」とは――いずれも自分の頭で定義するには、テーマが大きすぎます。


だから、私たちは学ぶのです。

およそ現代に生きる私たちがもつ問題意識のうち、過去に誰一人として考えてこなかったものはないといっても過言ではありません。古今東西、人間は繰り返し、繰り返し、似たようなことで悩んできたはずです。

つまり、ヒントは先人たちの知的格闘の集積ともいえる学問にあるということです。さまざまな学問の存在を知り、自分の興味関心に合致する分野を学ぶ。そうすることで、私たちは、自分の望む世界の解像度を高め、自分にできることをも具体的にイメージしていけるのです。

●「大きな絵」を要素分解する

まずは、自分がどんな価値観を大切にしたいのかを書き出してみてください。

みなさんは、自分や自分の大切な人たちが生きるこの世界に、どうあってほしいと願いますか。なぜ、そういう世界を望むのでしょうか。

そこで思い描かれる世界の解像度を高めるキーワードは何でしょうか。そのキーワードを追究するには、どんな学問が必要でしょうか。

そして学びながら、同時に考えていきましょう。

学び得た知識や情報からすると、望む世界をつくる一端を担うために、いったい何ができそうでしょうか。

理想の世界という大きな絵を、できるだけ細かく要素分解し、具体的に「できること」「できないこと」を峻別できれば、自分で何をしたいか、何ができるのかを選ぶことができます。

こうして「できること」を行動に移していくステップまで設けられたら、もう、いうことはありません。さらに学びながら、着実に行動していきましょう。あるいは、より慎重に学びつづけるのも選択肢のひとつです。

このすべての思考、行動が、学びに裏付けられているということが非常に重要です。直感的に行動し、仮にうまくいったとしても、直感には再現性がありません。直感だけで誤った行動をとってしまったときに、振り返って修正することもできません。だから、学ぶことを通じて、直感ではなく言語化できるレベルで「何ができるか、できないか」を俯瞰し、選択する能力を身につける必要があるのです。

いっておきますが、何も政治家や活動家にならずとも、大切にしたい価値観が実現された社会をつくる一端を担うことはできます。

学ぶ、考える、発信する。

周りの人たちと議論し、共に学び、身近なコミュニティでのルールづくりに関わる。

すべて一端を担っているということです。「しょせん自分には何もできない」という諦めこそ、自分が大切にしたい価値観に反する人たちを利することになる、愚かな態度といっていいでしょう。

エピローグ――教養は、人生を格段におもしろくしてくれる

●日本では「教養教育の環境」が圧倒的に不足している

私は、大学3年生のときにアメリカの大学に留学しました。

忘れもしない、カリフォルニア大学サンディエゴ校。そこでアメリカ型の教養教育に触れ、日本型の権威主義的な教育にずっと違和感と反発心を抱いてきた私は、初めて自分の居場所を得た気がしたものです。

私は幼いころより、学ぶ機会を渇望していました。大学に進学したかったし、アメリカにも留学したかった。だからなんとか受験勉強はこなしましたが、それが自分のタメになるとは、当時から露ほども思っていませんでした。

受験勉強は大学進学、アメリカ留学への切符を手にするために、仕方なくやっていただけで、自分の知的好奇心は、もっぱら図書館で出会う本で満たしていたのです。

日本の教育にも、いいところはあります。

たとえば数学の証明問題のように、誰が読んでも正しいロジックを使って論理的に正解を推論していくトレーニングを積むなど、理系教科における日本の教育スタイルは、それほど悪くないと思います。

また、アメリカ人の一定数が字を読めない、あるいは簡単な暗算すらできないことを思えば、「読み書きそろばん」と称される基礎学力を教え込む日本の初等教育は、いっそ優れているといってもいいでしょう。

しかし中等教育、高等教育になると、話は別です。

基礎学力の習得を経た次の段階として、中等教育、高等教育は、知識や情報を使って自分の頭で考え、意見形成し、人と議論し、合意形成の道を探るという「社会の一員として生きるスキル」を磨く場、つまり教養教育の場であるべきです。

ところが、いまだに多くの場合、中学校から大学の授業は、あいも変わらず「教壇から一方的に説明が行われる」という位置づけで、生徒は、ひたすら板書をノートに書き写すだけ。しかも、「減点方式」で生徒を評価し、自己肯定感を削り取ってしまう。教養教育の場としては、正直、崩壊しているといわざるをえません。

予算が不足している（中澤2014）、教養教育ができる人材がいない、など問題は山積しています。優れた教養教育が可能な環境が整うまでには、まだまだ時間がかかるでしょう。そもそも政策決定サイドに、そういう問題意識があるのかどうかも疑問です。

だから、自分で教養に関する本を書いてみることにしました。出版社の方から「教養について書いてほしい」という依頼が入ったときには、教養教育に対する積年の思いを、ようやく形にできると思ったのです。

そのため、本書は「教養とは何か」「教養人とは何か」「教養ある態度とは何か」といった「あり方」について、比較的多くの紙面を費やすことになりました。

本書に「やり方」――つまり、何を学んだら賢くなれるか（賢く見られるか）、どう学んだら効率的に知識をものにできるか、といったノウハウ面の話を多く期待していた人は、ちょっと肩透かしを食らったような気がしたかもしれません。

それでも私は、「教養」というものを語るうえでもっとも重要といえるエッセンスを、本書を通じて、みなさんにお伝えできたのではないかと思っています。

教養人になるために一番大事なのは、知識を身につけるノウハウではありません。本文でも「何を学ぶか」ではなく「いかに学ぶか」のほうが大事であると述べたように、教養人としての「あり方」を身につけることこそが、教養人をつくるのです。

●教養は「未来を見通す力」

教養を身につける学びの道は、みなさんにとって、それほど平坦ではないかもしれません。

ただ私個人の経験からいうと、若いうちに、たくさん本を読んで学んできたことが、確実に今につながっているという実感があります。本で得た知識の量が教養ではありませんが、やはり読書は学びの要です。

大学生のころは、同級生たちと遊ぶ時間を惜しんで図書館に通い詰め、書籍代を得るためにバイトに勤しみました。おそらく中古車くらいは軽く買えたであろう額のお金を、毎年のように本に費やしたのではないでしょうか。

故郷の酒田から遠く離れ、非常に地味な学生生活を送ったわけですが、そのおかげでアメリカに留学して博士号を取得し、向こうで大学教育に携わることもできました。さらには「故郷のために働きたい」という人生の目的につながる事業を興し、それも近々、上場しようかというくらい成長しています。

本書で「学びつづける必要性」にたびたび言及されて、ちょっとげんなりしていた人もいるかもしれません。

でも、教養は、何らかの形、さまざまな形で、みなさんの人生に生きます。必ず、と断言できます。役に立てることを目的とせずに身につけたことほど、いつ、どこで役に立つかわからないものなのです。

実は、それこそが学びつづける最大の動機になります。

何の役に立つかわからずに身につけた知識が、あるとき、思いもかけない形で役に立った。そこで教養というものの性質を理解し、「もっと学びたい」という意欲が強くなる。持続する。いつ、また役に立つとも知れぬ知識や情報を、さらに蓄積したくなるはずです。

教養は、「未来を見通す力」ともいえます。

社会の変異には、一定の法則性があります。少しずつ形は違えども、ざっくりと「こういうことが起こると、こういうことが起こる」という現象が、歴史上、繰り返されてきました。

ですから、幅広い知識、情報を横断的に頭に入れておくことで、「明日、起こること」はわからないかもしれませんが、「10年後の未来」は、なんとなく見えるようになってきます。さまざまな学問を横断的に学ぶことの意味が、ここにあります。

私は、もともと「学びたい」という初期動機が人一倍、強かったといえるかもしれませんが、そんな我が身を振り返ってみても、今なお、実際に学びつづける一番の動機となっているのは、「学んだことが役に立った」という実感なのです。

ぜひみなさんにも、そういう体験を味わっていただきたいと願っています。

●自分の将来を自分で選び、つかみ取れる人間に

今、みなさんは、自分自身や自分の人生を、どのように思っているでしょうか。

「退屈だ」とか「何者にもなれない」とか「あの人と比べたら、自分なんて……」と

か、そんなふうに思ってはいませんか？

たしかに現時点では、そんな自己像に当たらずとも遠からずの現実があるのかもしれません。でも、たとえ今は本当に退屈で何者にもなれなくて、誰かと比べて卑下したくなるような自分であったとしても、学ぶことで人生は大きく変わります。

最後にもう1つ。学びつづけるには、身体の健康もないがしろにしてはいけません。体はすべての土台です。体の健康は心の健康につながり、心の健康は頭脳の健康につながっています。知識、情報の吸収効率や、思考の質・量・スピードの維持、向上には、実は適度な運動習慣が欠かせないのです。

少し前に、ＰＴＳＤ（心的外傷後ストレス障害）を発症して以来、私は、どれほど精神の健康が、思考や判断に影響するか、思い知りました。メンタルが元気でないと、ろくろく読めないし、考えられない。まさか自分がそんな状態になろうとは、信じられないような日々でした。

今はもう回復して、毎日、トレッドミルでウォーキングをしながら海外のニュース動画を観たり、ダンベルを使った軽い筋トレに励んだりしています。いや、正確にはどん底から回復する過程で、運動習慣の再確立が非常に有益でした。

平凡な日常のなかでも、学ぶうちに、誰かと議論したり、自分にできることを真剣に考えるようになったりと、いろいろと人生の意味を見出すことができるようになるでしょう。

つまり教養は、人生を格段におもしろくしてくれるのです。

だから、大いに学んでいきましょう。

身体の健康にも気を配りながら、よく食べ、眠り、動き、そして、たくさん読み、考え、他者との対話を通じて、人生の目的へと至る道を探索していきましょう。

教養を身につけるというのは、ただの勉強とは違います。知識や情報を得ることそのものが目的ではありません。せっかく与えられた人生の時間の使い方に、大きく関わってくるものが教養です。

ただ自分の頭で考えて納得するだけでなく、物事を俯瞰的に眺めるなかで何をするか、あるいは何をしないかを納得して選び取りながら、人生を構築していく。

学ぶこと、教養を身につけることで、このように、誰かのお仕着せではない将来を

自分の意志で選び、自分の手でつかみ取れる人間が一人でも増えたら——というのが、
本書に込めた私の最大の願いです。

謝辞

この本を執筆する間、大きな知的刺激を頂いた皆様に感謝申し上げたいと思います。

特に、篠崎賢司さん（J PREP）、新田裕子先生（宇都宮中央法律事務所）、経済評論家である上念司さん、弊塾卒業生で米国カールトン・カレッジで教養教育をフルに体験した馬場雄太さんとの議論から多くを学び、深く考えるヒントを頂きました。臨床心理士である河内将孝さんにも、物事を俯瞰して把握する態度の大切さを学びました。

最後に、本書を筆者の恩師である故フランセス・ローゼンブルース先生に捧げたいと思います。フランセスは、どのような状況でも、不肖の弟子である私を暖かく励ましつづけ、導いてくださいました。また、私に独自の着想を持ちつづけるよう、誰の真似もせず、自らが正しいと信ずるみちを進むよう、勇気を下さいました。本書での記述の多くは、イェール大学で、フランセスをはじめとする知の巨人たちと議論しながら学ばせていただいたことを、稚拙ながらも筆者なりに再表現したものです。

参考文献（登場順）

- Hanushek, Eric A., Guido Schwerdt, Ludger Woessmann and Lei Zhang. 2016. "General Education, Vocational Education, and Labor-Market Outcomes over the Life-Cycle" *Journal of Human Resources*, 52 (1), 49-88.
- ウェストーバー・タラ『エデュケーション：大学は私の人生を変えた』村井理子訳、２０２０年、早川書房
  Tara Westover. *Educated*. Penguin Books, 2018.
- マレー・ダグラス『西洋の自死』中野剛志・町田敦夫訳、２０１８年、東洋経済新報社
  Douglas Murray. *The Strange Death of Europe*. Bloomsbury Publishing. 2017.
- ポパー・カール『開かれた社会とその敵　第一部』内田詔夫・小河原誠訳、１９８０年a、未來社
  Karl R. Popper. *The Open Society and Its Enemies*. Vol. 1. Routledge. 1945.
- ポパー・カール『開かれた社会とその敵　第二部』内田詔夫・小河原誠訳、１９８０年b、未來社
  Karl R. Popper. *The Open Society and Its Enemies*. Vol. 2. Routledge. 1945.
- 中澤渉『なぜ日本の公教育費は少ないのか：教育の公的役割を問いなおす』２０１４年、勁草書房

推薦図書　◇は定番教科書、◆は代表的著作

人類学◇スプラッドリー・ジェイムズ『参加観察法入門』田中美恵子・麻原きよみ訳、2010年、医学書院
James P. Spradley. *Participant Observation*. Waveland. 2016.

人類学◆ギアーツ・クリフォード『文化の解釈学』吉田禎吾・柳川啓一・中牧弘允・板橋作美訳、1987年、岩波書店
Geertz, Clifford. *The Interpretation of Cultures*. Basic Books. 1973.

経済学◇マンキュー・グレゴリー『入門経済学』足立英之・石川城太・小川英治・地主敏樹・中馬宏之・柳川隆訳、2019年、東洋経済新報社
Gregory N. Mankiw. *Principles of Economics*. South-Western. 2017.

経済学◆ダブナー・スティーヴン、レヴィット・スティーヴン『ヤバい経済学』望月衛訳、2007年、東洋経済新報社
Steven D. Levitt and Steven J. Dubner. *Freakonomics*. Harper. 2009.

社会学◇ギデンズ・アンソニー『社会学』松尾精文他訳、2009年、而立書房
Anthony Giddens and Philip W. Sutton. *Sociology*. Polity. 2021.

社会学◆デュルケーム・エミール『自殺論』宮島喬訳、2018年、中公文庫
Durkheim, Emile. *Le Suicide*. Trimestre. 1897.

心理学◇ホークセマ・スーザン他『ヒルガードの心理学』内田一成監訳、2015年、金剛出版
Hoeksema, Susan N. et al. *Atkinson and Hilgard's Introduction to Psychology*. Cengage Learning. 2014.

心理学◆ピンカー・スティーブン『言語を生み出す本能』椋田直子訳、1995年、NHKブックス
Pinker, Steven. *The Language Instinct*. Penguin Books. 1994.

政治学◆レイプハルト・アレンド『民主主義対民主主義』粕谷祐子・菊池啓一訳、２０１４年、勁草書房
Arend Lijphart. *Patterns of Democracy*. Yale University Press. 2012.

政治学◆メスキータ・ブルースブエノ・デ、アラスター・スミス『独裁者のためのハンドブック』四本健二・浅野宜之訳、２０１３年、亜紀書房
Bruce Bueno de Mesquita and Alastair Smith. *The Dictator's Handbook*. PublicAffairs. 2011.

統計学◇ロウントリー・デレク『涙なしの統計学』加納悟訳、２００１年、新世社
Derek Rowntree. *Statistics without Tears*. Penguin Books. 2018.

統計学◆ロスリング・ハンス他『ファクトフルネス』上杉周作・関美和訳、２０１９年、日経ＢＰ
Hans Rosling, Ola Rosling, and Anna Roenlund. *Factfulness*. Hodder and Stoughton. 2019.

歴史学◇Maza, Sarah. *Thinking about History*. University of Chicago Press. 2017.

歴史学◆ダワー・ジョン『容赦なき戦争』斉藤元一訳、２００１年、平凡社
John Dower. *War without Mercy*. Pantheon. 1987.

会計学◇アンソニー・ロバート、ブライトナー・レスリー『アンソニー会計学』西山茂監訳、２０１６年、東洋経済新報社
Robert N. Anthony and Leslie Breitner. *Essentials of Accounting*. Pearson. 2012.

会計学◇國貞克則『新版財務3表一体理解法』２０２１年、朝日新書

会計学◆高橋洋一『明解　会計学入門』２０１８年、あさ出版

経営学◆ポーター・マイケル『競争戦略論Ⅰ・Ⅱ』竹内弘高訳、２０１８年、ダイヤモンド社
Michael Porter. *Competitive Strategy*. Free Press. 1980.

経営学◆グローブ・アンドリュー『High Output Management』小林薫訳、２０１７年、日経ＢＰ
Andrew Grove. *High Output Management*. Vintage. 1995.

著者略歴

斉藤 淳（さいとう・じゅん）

1969年山形県生まれ。J PREP斉藤塾代表。上智大学外国語学部英語学科卒業、同大学大学院国際関係論専攻博士前期課程修了後、カリフォルニア大学ロサンゼルス校大学院を経てイェール大学大学院政治学専攻にて博士号（政治学）を取得。フランクリン・マーシャル大学助教授等を経て2008年イェール大学政治学科助教授に。2012年に帰国し、東京都と山形県で英語と教養を教える私塾を創業。2002 - 03年衆議院議員（山形4区）。2010年『自民党長期政権の政治経済学』（勁草書房）で日経・経済図書文化賞を受賞。

SB新書 605

アメリカの大学生が学んでいる本物の教養

2023年 1月15日　初版第1刷発行
2023年 9月24日　初版第6刷発行

著　者　斉藤 淳

発行者　小川 淳

発行所　SBクリエイティブ株式会社
〒106-0032　東京都港区六本木2-4-5
電話：03-5549-1201（営業部）

装　幀　杉山健太郎

カバーイラスト　須山奈津希

本文デザイン DTP　株式会社ローヤル企画

編集協力　福島結実子

編集担当　齋藤舞夕

印刷・製本　大日本印刷株式会社

本書をお読みになったご意見・ご感想を下記URL、
または左記QRコードよりお寄せください。

https://isbn2.sbcr.jp/17691/

ISBN 978-4-8156-1769-1